北京古籍叢書

光緒順天府志

［清］周家楣　［清］繆荃孫　編纂

左笑鴻　點校

第九册

圖書在版編目（CIP）數據

光緒順天府志．第九册 /（清）周家楣，（清）繆荃孫編纂；左笑鴻點校．— 北京：北京出版社，2018.2

（北京古籍叢書）

ISBN 978-7-200-13597-8

Ⅰ．①光… Ⅱ．①周… ②繆… ③左… Ⅲ．①北京—地方志—清代 Ⅳ．①K291

中國版本圖書館 CIP 數據核字（2017）第 284873 號

項目策劃：安　東　　項目統籌：許　可
責任編輯：喬天一　許　可　　責任印製：宋　超
裝幀設計：郭　宇

北京古籍叢書

光緒順天府志

第九册

［清］周家楣　［清］繆荃孫　編纂

左笑鴻　點校

出　版　北京出版集團公司
　　　　北京出版社
地　址　北京北三環中路六號
郵　編　一〇〇一二〇
網　址　www.bph.com.cn
總發行　北京出版集團公司
經　銷　新華書店
印　刷　北京京華虎彩印刷公司
開　本　八八〇毫米×一二三〇毫米　三十二
印　張　十二點五
字　數　二三六千字
版　次　二〇一八年二月第一版
印　次　二〇一八年二月第一次印刷

書號　ISBN 978-7-200-13597-8
定價　128.00 圓
如有印裝質量問題，由本社負責調换
質量監督電話　010-58572393

官師志六

前代州縣表三上

德清傅雲龍纂　江陰繆荃孫覆輯

州職斷以隋後，厥前牧、刺史與今知州異。周地官之州長，畿內六鄉之州正適同，隋以州領縣，宋以朝臣權知州事，猶今直隸州也。隸府不領縣之州始金。周官縣正，春秋時邑宰大夫，皆秦漢縣令長之權輿。權知縣令肇唐，去令稱知始宋，本非縣官也，後遂沿爲定稱。州縣稱尹始元，佐屬緣升改見焉。作前代府屬州縣官師表。秦縣萬户以上爲令，秩千石至六百石，減萬户爲長，秩五百石至三百石，皆有丞、尉，秩四百石至二百石，是謂長吏，百石以下有斗食佐史之秩，是爲少吏。漢百官公卿表。有亭長、鄉三老、嗇夫、游徼。漢百官公卿表：十里一亭，亭有長。十亭一鄉，鄉有三老，有秩、嗇夫、游徼。三老掌教化。嗇夫職聽訟，收賦稅。游徼循禁賊盜。縣大率方百里，民稠則減，稀則曠，鄉、亭亦如之，皆秦制也。其縣曰薊，今大興。曰方城，今固安。屬上谷郡守。曰無終，今薊州。周燕國春秋時無終子國也。秦置縣，右北平郡治。據水經鮑邱水注、舊唐志。漢縣令長，丞、尉如秦制。漢百官公卿表，縣令長，秦官有丞、尉，皆秦制。按：續漢志劉注，補引應邵漢官云：前書百官表，萬户以上爲令，萬户以下爲長。三邊始孝武所開，縣户數百，而或爲令。荆、揚、江南七郡，惟有臨湘、南昌、吴三令爾。及南陽穰中，土沃民稠，四、五萬户而爲長。桓帝以江南陽安爲女公主邑，改號爲令。主薨，復故。據此，則

（令長時亦變通。）莽改令長曰宰。（資治通鑑三十七。）縣宰缺者數年守兼。（通鑑三十八注引師古曰：不拜正官，權令人守兼。）後漢每縣邑道，大者置令一人，千石；次置長，四百石；小者置長，三百。侯國之相秩次亦如之。（續漢百官志。志又云：凡縣主蠻夷曰道，公主所食湯沐曰國，縣萬户以上爲令，不滿爲長，侯國爲相。注曰皆掌治民，顯善，勸義，禁姦，罰惡，理訟，平賊，恤民，時務，秋冬集課，上計於屬郡國。）丞，各一人。尉，大縣二人，小縣一人。（續百官志。）丞署文書，典知倉獄；尉主盜賊。（續志注。志又云：凡有賊發，主名不立，則推索行尋，案察姦宄，以起端緒。注引漢百官，曰大縣丞，左右尉，所謂命卿三人。小縣一尉，一丞，命卿二人。）各署廷掾、勸農掾、制度掾。（續漢志注曰：諸曹略知郡員五官爲廷掾，監鄉部，春夏爲勸農掾，秋冬爲制度掾。）永平九年，詔部刺史歲上墨綬，長吏視事三歲已上，治狀尤異者各一人，與計偕上，及尤不治者，亦以聞。（通鑑四十五。胡注：墨綬、長吏謂大縣。）其縣曰薊，燕國治。元朔二年，郡治。元狩六年，復國。元鳳元年，廣陽郡治。本始元年，國治。莽曰伐戎。後漢復舊名。建武十三年，屬上谷郡治。永元八年，廣陽郡治。曰陰鄉，（今宛平西南。）析薊置治，屬同。莽曰陰順，後漢永元八年省入薊。曰廣陽，（今良鄉。）屬同薊，以其屬廣陽國，亦謂之小廣陽。（括地志。）曰方城、臨鄉、陽鄉。（三縣並今固安地。）考方城，周韓侯國，燕方城邑也。（據水經聖水注。）漢置縣，屬同薊。（按：治薊者此爲其屬。）分置臨鄉、陽鄉，（據水經聖水注、新斠注地理志。）屬涿郡守。永光五年六月，更二縣爲侯國。（據漢王子侯表。）莽改陽鄉曰章武。建武十三年，省二縣入方城，屬涿郡。曰益昌，（今永清。）高帝六年屬涿郡。永光三年三月爲侯國。（據漢王子侯表。）莽曰有秩。建武十三年省入方城安次。曰安次，（今東安縣西。）高帝六年屬燕國。元封五年屬渤海郡。（據寰宇記、魏地形志。）永元八年，屬廣陽郡。（詳府。）曰路、安樂，路今通州東南，安樂今通州。按：安樂令見資治通鑑三十九。屬漁陽郡。莽改路曰通潞亭。水經鮑邱水注。後漢名潞，漁陽郡治。詳府。

陽郡。建安十八年，漁陽併入廣陽，改屬燕郡。曰雍奴、泉州，雍奴今武清縣，泉州今武清縣東南四十里。二縣屬漁陽郡。莽改泉州曰泉調。建武二年，雍奴爲侯國。據水經注。三十年，復爲縣。曰軍都、昌平，昌平今昌平州東南，軍都今昌平州東南四十里。屬上谷郡。後漢屬廣陽。曰狐奴，今順義縣東北二十里。屬漁陽。莽曰舉符。

後漢復舊名曰漁陽、厗奚、獷平、要陽、白檀。據新斠地理志。莽改厗奚曰敔德，獷平曰平獷，要陽曰要術。五縣惟白檀先屬右北平，見李廣傳注。後同屬漁陽郡，省要陽、白檀入漁陽。曰涿、西鄉，涿今涿州，西鄉今涿州西北。戰國燕涿邑，即涿也。高帝六年，涿郡治涿。初元五年，西鄉爲侯國。據漢王子侯表。莽改西鄉曰移風。後漢省西鄉入涿。曰良鄉，今房山縣東。高帝六年屬燕國，後屬涿郡。據王鳴盛十七史商榷。綏和二年，良鄉爲侯國。據漢王子表。莽曰廣陽。後漢復爲良鄉。曰文安，通典漢書注，故城今縣東北。高帝六年，屬燕國。武帝時，屬渤海郡。後漢屬河間國。建安中屬章武國。曰東平舒，一統志：今大城治。漢屬渤海郡。後漢屬河間國。建安中爲章武郡治。曰無終，詳上。初屬右北平郡。元朔二年屬燕郡。元封五年復屬北平。曰平谷，滑鹽，按：平谷今平谷東北，滑鹽今平谷。屬漁陽郡。莽改滑鹽曰匡德。後漢省滑鹽入平谷。明帝時謂之鹽田。據方輿紀要。魏沿漢制，按：魏志鄭渾傳，太祖召爲掾，遷下蔡長，邵陵令。據此，知令、長猶沿漢制。其縣曰薊。黃初中，燕郡治。據方輿紀要。太和六年，燕國治。據魏志明紀。曰廣陽燕郡，改屬燕國。曰方城，景初元年爲侯國，屬范陽郡。曰安次、潞、安樂，方輿紀要：景元四年封後主爲安樂公。均燕郡，改屬燕國。曰雍奴、泉州，二縣屬漁陽郡。曰軍都、昌平，並燕郡，改屬燕國。曰狐奴，景初二年廢，尋復省漁陽、厗奚、獷平入狐奴。按：狐奴北境今懷柔。曰涿，屬范陽郡。黄初五年，屬范陽國。據魏志宗室傳。曰良鄉，屬涿郡。曰文安，屬章武郡。據晉地理志，三國畺域志。曰東平舒，屬同。曰無終，屬北平郡。三國畺域志，右北平郡，魏志右字。曰平谷。晉縣大者置令，小者置長。有主簿、録事史、主記室史、門下書佐幹、游徼、議生、循行功曹史小史、廷掾功曹史小史、書佐幹、户曹掾史幹、法曹門幹、金倉賊曹掾史、兵曹史、吏曹史、獄小史、獄門亭長、都亭長、賊捕掾等員。晉職官志。通考，晉制大縣令有治績，官報以大郡，不經宰縣，不得入爲臺郎。又置職吏、散吏，即今科房吏也。晉職官志：户不滿三百以下，職吏十八人，散吏四人；三百以上，職吏二十八人，散吏六人；五百以上，職吏四十八人，散吏八人；千以上，職吏五十三人，散吏十二人；千五百以上，職吏六十八人，散吏一十八人；三千以上，職吏八十九人，散吏二十六人。洛陽縣置六部尉。餘大縣置二人，次縣、小縣各一人。按：晉官制沿漢，屬吏則增設，吏猶今之科房吏典也。其縣曰薊，燕國治。石趙燕郡治。燕元璽元年都此。元壽元年徙鄴。後趙同。趙曰方城、長鄉，詳畺域。屬范陽郡。曰安次，屬燕國。曰潞、安樂，屬燕國。據方輿紀要。後屬漁陽郡。詳府。曰雍奴，泉州，曰軍都、昌平，曰狐奴，並屬燕國。石趙軍都屬燕郡，餘四縣屬漁陽郡。曰漁陽、方城，一石趙復置，一慕容新置。漁陽郡，治漁陽，領方城。按：此方城今密雲境。曰涿，泰始元年，范陽國治。據晉書宗室傳。尋爲郡治。據水經注。石趙、前燕、前秦因之。曰良鄉，今房山。屬范陽郡，石趙同。曰文安，晉屬章武國，石趙因之。前燕屬章武郡。曰東平舒，章武國治。據魏地形志、晉宗室傳。石趙同。前燕爲章武郡治。曰平谷，初省，復置，屬漁陽郡，餘縣如魏。後魏皇始元年置縣三，令長用八品者。世宗班行職令，上縣令相第六品；中縣令相第七品；下縣令相第八品。魏官氏志。志又云：皇始元年，令長以下有未備者，隨而置之。齊制，縣爲上、中、下三等，每等又有上、中、下之差。自上上縣至下下縣凡九等。通考：北齊猶因循後魏，用人濫雜，至于士流恥居之。元文遥遂奏于武成帝請革之，乃密令搜揚世胄子弟，恐其辭，訴說召集神武門宣旨，慰諭而遣。自此縣令始以士人爲之。周，令長非通六條及計帳者，不得居官。通典。戶七千以上，縣令五命；戶四千以上，正四命；戶二千以上，四命；戶五百以上，正三命；五百以下，二命。周書盧辯傳。其縣曰薊，燕郡治。曰廣陽，後魏屬燕郡。齊天保七年省入薊。曰方城，萇鄉本長鄉，後魏改。據魏地形志。齊天保七年並省入涿。曰安城，按：安城本安次，後魏更名。屬燕郡。齊周復安次，名曰潞、安樂。後魏太平真君七年省平谷入潞，十年省安樂入潞，據方輿紀要。屬漁陽郡。齊、周因之。曰雍奴、泉州，按：後魏泉州縣北境今寶坻。後魏太平真君七年，省泉州入雍奴，爲漁陽郡治。齊因之。周移漁陽郡治潞。曰軍都、昌平，後魏屬燕郡。太和中治置燕州，治昌平。方輿紀要。後省昌平入軍都。天平中置平昌郡，與東燕州同治昌平。據寰宇記。析置縣。曰萬年，據地形志。省軍都入昌平。據一統志。武定元年寄治縣二，曰廣武、沃野。據一統志地理韻編。曰歸德，今順義。自後魏省狐奴入薊，齊置歸德，屬燕郡。周省入薊。曰白檀、密雲、要陽、方城，並屬密雲郡。自後魏移漁陽郡治雍奴，皇始二年置密雲郡，治白檀。延和元年，僑置縣曰燕樂，爲益州治。曰安市，爲交州治。太平真君二年，改益州爲廣陽郡，增領曰廣興，改交州爲安樂郡。九年，省方城入密雲，省恆山入廣興，永樂入燕樂，又置縣曰土垠，屬安樂郡。普泰元年，復置方城縣，屬廣陽郡，天平中陷，元象中寄治幽州北界，移廣陽郡燕樂縣於白檀縣治。齊廢密雲郡及白檀、要陽二縣入密雲，省廣陽郡，以廣興、按：隋志曰大興，避諱也。方城入燕樂省，土垠入安市。周省安市入燕樂。曰涿，後魏屬范陽郡，齊、周因之。曰良鄉，後魏屬燕郡，齊天保七年省入薊，武平六年復置。寰宇記，遼地理志同。曰文安，後魏太和十一年屬章武郡。齊、周屬河間郡。曰平舒，本東平舒縣，太和十二年更名爲章武，郡治。正光中分章武置縣曰西章武，屬章武郡。據魏地形志。齊省西章武入平舒。一統志。曰無終，後魏、齊、周屬漁陽郡，周省徐無來入。曰平谷，後魏太平真君七年省入潞。齊、周同。隋縣令三年一遷，通典。屬官有丞、中正、光迎功曹、光迎主簿、功曹、主簿、録事，及西曹、户曹、金曹、租曹、兵曹等掾，市長等員。隋百官志。志又云：上上縣令合屬官佐吏五十四人，上中縣減上上縣五人，上下縣減上中縣五人，中上縣減上下縣六人，中中縣減中上縣五人，中下縣減中中縣一人，下上縣減中下縣一人，下中縣減下上縣一人，下下縣減下中縣一人。隋百官志。十四年，改九等縣爲上、中、下，凡三等。通典。其縣曰薊，開皇三年，幽州治。大業三年，涿郡治。曰固安，今固安。據隋地理志、寰宇記。大業初屬涿郡。曰通澤，今永清地。大業七年置，尋省入固安、安次二縣。據縣志、方輿紀要。曰安次，曰潞，曰雍奴，並開皇三年屬幽州。大業三年屬涿郡。曰昌平，開皇三年廢平昌郡，屬幽州，省萬年入。大業三年屬涿郡。曰燕樂，密雲。開皇初廢安樂郡，以二縣屬玄州。十六年，州徙治無終，改屬幽州。十八年，屬檀州。大業初，置安樂郡，領二縣，曰涿，曰良鄉，並開皇三年屬幽州，大業三年屬涿郡。曰文安，開皇三年屬瀛州。大業初屬河間郡。七年，析文安與平舒地于河口，當三河會流處，置縣曰豐利，今文安境。仍屬河間。曰平舒，開皇三年屬瀛州。十六年屬景州。據寰宇記、方輿紀要。大業初屬河間郡。曰無終，開皇六年徙玄州治，後改縣。曰漁陽，唐改郡爲州，然州無屬郡者，州制具郡、按：唐時州制詳府，今知州之職，在唐則爲縣令也。縣等，赤、畿、望、緊、上、中、下凡七。歷代職官表：唐縣赤、畿、望、緊、上、中、下七等，京縣爲赤，京之旁邑爲畿，其餘以户口多少、資地美惡爲差。品次則四，凡令上縣，從六品上；中縣，正七品上；中下縣，從七品上；下縣，從七品下；其丞、主簿、尉、録事、司户、司法、倉督、典獄等佐屬品，亦以四等爲差。舊書職官志：上縣：令一人，從六品上；丞一人，從八品下；主簿一人，正九品下；尉二人，從九品上；録事二人，司户、司法；倉督二人，典獄十人。中縣：令一人，正七品上；丞一人，從八品下；主簿一人，從九品上；尉一人，從九品下；録事一人，司户、司法；倉督一人，典獄八人。中下縣：令一人，從七品上；丞一人，正九品上；主簿一人，從九品上；尉一人，從九品下；録事一人，司户、司法各一人，典獄六人。下縣：令一人，從七品下；丞一人，正九品下；主簿一人，從九品上；尉一人，從九品下；録事一人，司户、司法各一人，典獄六人。開元十八年，定制六千户以上爲上縣，唐會要。關有令丞，津有津尉，今驛丞始此。永徽中，廢尉置吏。唐百官志：關令丞，凡關有驛道者爲上關，無爲中關，餘爲下關。津尉掌舟梁事，永徽中廢津尉，置津吏。歷代職官表：唐至德後，凡水陸驛千五百八十七處，此縣置驛丞之始。其縣曰薊望，武德元年幽州治。見舊書地理志。天寶元年改范陽郡治。寶應元年復舊。凡屬縣準此。武德六年，僑治縣二，曰遼西、懷遠，並下屬燕州。貞觀元年省懷遠。天寶元年，燕州改歸德郡。乾元元年復燕州。詳僑治州。舊書地理志：遼西縣，無實土户，所領户出粟皆靺鞨別種，户五百。天寶，户二千四十五。州所治縣。按户數，當是下縣。貞觀六年後，僑治縣曰賓義，下，舊書地理志：户八十一。天寶，户千六十四。屬順州。詳僑治州。舊書地理志：賓義郡所理在幽州城內。開元二年，寄治縣曰濱海，下，屬沃州。詳僑治州。舊書地理志：天寶領縣一，户百五十九。天寶元年析薊置縣曰廣甯，按：薊又析置廣平、幽都，均依一統志，爲今宛平。三載省。曰廣平，上，天寶元年析薊置，按一統志表，廣平列之宛平。三載省，至德間復置。建中二年，因廢燕州廨，置縣曰幽都，望，與薊令分理，按：幽都一統志，表列宛平。舊書地理志：幽都，管郭下西界，與薊分理。建中二年，取羅城內廢燕州廨署，在府北一里。寄治古廣陽城。今良鄉。三下縣曰歸義，屬歸義州；曰來蘇，屬夷賓州；曰來遠，屬瑞州。詳僑治州。按：唐良鄉今房山縣東舊境。唐地理志：歸義户百九十五，來蘇户百三十，來遠户六十，天寶户百九十五。曰固安，上，唐地理志。武德元年屬幽州。四年移治歸義縣界章信堡，屬北義州。貞觀元年復舊治，屬幽州。天寶元年屬范陽郡。寶應元年復屬幽州。大曆四年屬涿州。曰武隆，今永清。如意元年置。舊書地理志。屬幽州。景雲元年改曰會昌。天寶元年改曰永清，緊，屬范陽郡。寶應元年仍屬幽州。曰安次，上，屬幽州，寄治安次。曰龍山，下，屬昌州。詳僑治州。舊書地理志：户一百三十二，天寶户二百八十一。曰潞，上，武德元年屬幽州，二年爲玄州治。貞觀元年復屬幽州。其寄治古潞城二，下縣曰昌黎，屬崇州；曰賓從，屬鮮州；皆神龍初徙。詳僑治州。舊書地理志：昌黎户百四十，天寶户二百；賓從，天寶户百七。曰臨泃，今三河。武德二年析潞置，屬玄州。貞觀元年，省入潞。據新、舊書地理志。開元四年，復析潞置縣曰三河，中，屬幽州。十八年改隸薊州。（舊書地理志。）曰雍奴，武德元年屬幽州。天寶元年改曰武清，上，（見舊書地理志。）屬范陽郡。寶應元年復屬幽州。曰昌平，望，屬同雍奴，寄治昌平境。曰孤竹，下，神龍初屬帶州，（詳僑治州。舊書地理志：孤竹户百三十八，天寶户三百一十四。）寄治燕北境。（今順義境。）曰懷柔，開元四年屬歸順州。（舊書地理志：户千三十七。）天寶元年改歸化郡。乾元元年復舊名，唐末爲順州，下。（詳僑治。）曰密雲，燕樂，並中，（見新書地理志。）武德元年屬檀州，州治密雲。長壽二年移燕樂，治新城。天寶元年改爲密雲郡治。乾元元年復爲檀州。（詳分治。）曰涿，武德元年屬幽州。七年更縣曰范陽，望。（見新書地理志。）天寶初爲范陽郡治。寶應元年屬幽州。大曆四年爲州治。曰涿，（見舊書地理志、寰宇記。）上，領范陽、歸義、固安，又新昌、新城非今屬，朱泚奏涿州爲永泰軍，（據新書蔡廷玉傳。）寄治縣五，並下，曰静蕃，貞觀二十年屬玄州，曰黄龍，神龍初屬信州；曰逢龍，神龍初屬慎州；曰新黎，神龍初屬黎州；（舊書地理志：静蕃，治范陽縣之魯泊村，天寶户六百一十八；黄龍，寄治范陽縣，天寶户四百十四；逢龍，契丹陷營州後南遷，寄治良鄉縣之故都鄉城，天寶户二百五十；新黎自宋州遷，寄治于良鄉縣之故都鄉城，天寶户五百六十九。）曰青山，景雲元年屬青山州。（舊書地理志：青山，寄治范陽縣界水門村，户六百二十二。）曰良鄉，望，聖曆元年更名固節，神龍元年復故名。（見新書地理志，今爲房山。）天寶元年屬范陽郡。寶應元年屬幽州。神龍初寄治縣二，並下，曰威化，寄良鄉（今房山。）縣石窟堡，屬威州；曰陽師，寄良鄉縣故東閭城，屬師州。（新書地理志：威化户七百二十九，陽師户百三十八。）曰文安，豐利，武德四年屬瀛州。貞觀元年省豐利，徙文安于豐利治，即今縣治也，上。（新書地理志。）景雲二年屬鄚州。開元元年屬莫州。曰平舒，上，新書地理志。屬景州。貞觀元年屬瀛州。曰漁陽，中，唐地理志。屬幽州。武德二年屬玄州。貞觀二年屬幽州。詳府。神龍元年隸營州。開元四年隸幽州。舊書地理志。十八年于縣置州曰薊州，領縣三：漁陽，三河，又玉田，非今屬。天寶元年改曰漁陽郡，下。乾元元年復爲薊州治。朱泚奏薊州爲靜塞軍。據新書蔡廷玉傳。五代縣令制循唐代。歷代職官表。曰薊，梁、唐屬幽州。曰幽都，廣平，梁、唐屬同薊。乾甯中，劉仁恭析幽都置縣曰玉河，今宛平西。曰良鄉。今良鄉。初爲良鄉縣今房山。東境，長興三年移今治，據方輿紀要、舊五代史趙德鈞傳。屬幽州。曰固安，梁、唐屬涿州。曰永清，曰安次，曰潞，梁、唐並屬幽州。曰三河，梁省。唐長興三年復置，屬薊州。曰武清，梁、唐屬幽州。曰昌平，唐長興三年改曰燕平，據五代史郡縣志。仍屬幽州。曰懷柔，今順義。唐屬順州。曰燕樂，密雲，梁、唐屬檀州。曰范陽，梁、唐均涿州治。曰良鄉，今房山。梁屬幽州，唐徙今治。今良鄉。曰霸州，周顯德六年取益津關置，據通鑑注引金人疆域志圖。治永清，領文安、大城，又置破虜軍使治古淤口關。據寰宇記。曰文安，梁、唐屬莫州。曰平舒，梁屬瀛州，唐改曰大城，屬同。據方輿紀要。曰薊州，治縣曰漁陽，並領三河，又玉田，非今屬。梁、唐屬幽州。遼五京諸州屬縣各有縣令、縣丞、主簿、尉，王圻續文獻通考。大略採用唐制，不能州者謂之軍，不能縣者謂之城，不能城者謂之堡，遼史百官志。按：唐書地理志，邊縣多有城鎮塞堡，或將或守，不隸縣令，其即遼所採用與？知州、知縣之名始宋，然宋知州皆領縣者，不與縣同。詳府。乾德初，州置通判，治軍州之政事，得專達，與長吏均禮，號曰監州，或置兩員，事簡有不置者。景德間，州滿萬户則置。宋職官志：乾德初，諸州置通判，統治軍之政事，得專達，與長吏均禮，大藩或置兩員，户少事簡有不置者，正刺史以上州，知州雖小亦特置。通考：宋藝祖懲五代藩鎮之弊，乾德初，下湖南，始置諸州通判，命刑部郎中賈玭等充。建隆四年，詔知府公事並須長史、通判簽議連書，方許行下。時大郡置兩員，西京、南京、天雄、成德、益、杭、并、晉、荆南、潭、廣、秦、定等州。餘置一員，州不及萬户不置。正刺史以上，及諸司使副知州者，雖小郡亦特置，掌倅貳郡政，與長吏均禮。凡兵民、錢穀、户口、賦役、獄訟聽斷之事，可否裁決，與守通簽。所部官有善否，職事修廢，得刺舉以聞。至景德間，宋興三十四年，户口寖息，解州以滿萬户，置通判，自是諸郡多滿萬户矣。又云：宋祖設通判，號稱監州。宣和二年，詔諸州茶、鹽、香、礬並委通判。建炎初，二員減一。通考：宣和二年，詔諸州茶、鹽、香、礬並委通判。建炎初，諸州通判二員，減一員。紹興五年以後，旋行申請添置，帥府通判並以兩員爲額。州有録事，乾興元年改爲録事參軍。政和三年，改爲掾。建炎初，復舊名録事。通考：宋沿唐制，州有録事參軍，然不盡置也。諸府爲司録，諸州爲録事。乾興元年，丁度申請，諸州始各置録事參軍。慶曆二年，河西、河東、陝西諸州，權令京官知録事參軍。熙甯三年，詔繁難去處録事參軍，並差職官，知縣及奏舉縣令人充。政和三年，尚書省言，州建六曹參軍。參軍之稱，起于行軍之際，恐不當襲，録事參軍欲改爲司録。奉旨，改爲掾。建炎初，復舊名録事，掌州縣庶務，糾諸曹稽違。乾道中，汪大猷申請，依司理例，不兼他職，從之。諸縣赤、畿外，有望、緊、上、中、下。宋職官志：建隆元年，令諸縣除赤、畿外，有望、緊、上、中、下。掌總治民政、勸課農桑、平決獄訟。凡户口、賦役、錢穀、賑濟、給納之事皆掌之。有孝悌行義聞于鄉閭者，申州淑勸。通考：四千户爲望，三千户以上爲緊，二千户以上爲上，千户以上爲中，不滿千户爲中下，五百户以下爲下。若京朝幕官則爲知縣事，有戎兵則兼兵馬都監或監押。宋職官志。按：白居易集，有裴克諒權知華陰縣令制，是唐貞元間已有權知縣令之稱，而以知縣爲縣令事名，則自宋始，初以朝官知縣事，或參用京官及幕職官。于慎行筆塵：宋大縣四千户以上，以朝官知；小縣三千户以下，選京官知。通典：檢校，試攝判知之官。縣丞初不置，宋會要。熙甯四年，繁劇户二萬以上置一員。崇甯二年並置。開寶三年，置簿。建隆三年，置尉。宋職官志：天聖中，開封兩縣始各置丞一員，在簿、尉之上。熙甯四年，繁劇縣，令户二萬已上增置丞一員。崇甯二年，宰臣請縣並置丞一員。主簿，開寶三年，詔諸縣千户以上置令、簿、尉；四百户以上置令、尉，令知主簿事；四百户以下置簿、尉，主簿兼知縣事。咸平後，多置主簿。尉，建隆三年，每縣始復置尉一員，在主簿下，俸賜並同。掌閱習弓手，戢姦禁暴。凡縣不置簿，則尉兼之。金設防禦者，謂之防禦州，設刺史者謂之刺史州。續通考。州刺史一，品正五。同知一，品正七。判官一，品正八。司軍一，知法一，品並從九。司吏，薊、通、涿州各三，餘二。抄事一。公使，上州五十、中四十有五、下四十。知印於孔目官輪遣，運司押司官同。無孔目，以上各司吏充。金百官志：諸刺史州，刺史一員，正五品，掌同府尹兼治州事。同知一員，正七品，通判州事。判官一員，從八品，簽判州事，專掌通檢推排簿籍。司軍，從九品。知法一員。軍轄兼巡捕使，九品。司吏，女直，韓、慶、信、灤、薊、通、登、復、瀋、貴德、涿、利、建州、來遠軍各三人，餘各二人。抄事一人。公使，上州五十、中四十五、下四十。凡諸州以上知印，並於孔目官內輪差，運司押司官並同。無孔目官，以上名司吏充，司、縣同此。司候司：司候一，品正九。司判一，品從九。司吏、公使七。又司獄司：司獄一，品正九。司吏一。公使二。典獄二，有獄子。又諸倉：使，品正八。副使，品正九。有攢典倉子。金百官志：諸防刺州司候司：司候一員，正九品。司判一員，從九品。司吏、公使七人。然亦驗户口置。諸司獄司：司獄一員，正九品，提控獄囚。司吏一人。公使二人。典獄二人，防守獄囚門禁啟閉之事。獄子，防守罪囚者。諸倉：使，正八品。副使，正九品。掌倉廩畜積、納租税、支給禄廩之事。攢典，掌收支文曆、行署案牘。歲收一萬石以上設二人。倉子，掌斛斗盤量、出納、看守之事。赤縣令一，品從六，總判縣事。丞一，品從八。主簿一，品正九，掌同縣丞。尉四，品正八，專巡捕盜賊。又中都市令司：令一，品正八。丞一，品正九。金百官志：赤縣謂大興、宛平縣。令一員，從六品，掌養百姓、按察所部、宣導風化、勸課農桑、平理獄訟、捕除盜賊、禁止游惰，兼管常平倉及通檢推排簿籍，總判縣事。丞一員，正八品，掌貳縣事。主簿一員，正九品，掌同縣丞。尉四員，正八品，專巡捕盜賊。餘縣置四尉者同此。司吏十人，內一名取識女直、漢字者充。公使十人。又云：市令司：惟中都置。令一員，正八品。丞一員，正九品。掌平物價，察度量權衡之違式、百貨之估值。司吏四人，公使八人。諸縣：令一，品從七。丞一，主簿一，尉一，品皆從九。凡縣二萬千户以上為次赤、為劇，二萬以上為次劇，在京倚郭者曰京縣。萬户以上為上，三千户以上為中，不滿三千爲下。下縣則不置尉，以主簿兼。（金百官志：諸縣：令一員，從七品。丞一員，正九品。主簿一員，正九品。尉一員，正九品。凡縣二萬五千户以上爲次赤、爲劇，二萬以上爲次劇，在諸京依郭者曰京縣。自京縣以下，以萬户以上爲上，三千户以上爲中，不滿三千爲下。中縣而下不置丞，以主簿與尉通領巡捕。下縣則不置尉，以主簿兼之。中縣司吏八人，下縣司吏六人，公使皆十人。諸知鎮、知城、知堡、知寨，皆從七品，其設公使皆與縣同，惟驗户口置司吏。）中都東北都巡檢使一，品正七，通州置司，分管大興、漷陰、昌平、通、薊等界盜賊事。西南都巡檢一，品正七，良鄉縣置司，分管良鄉、宛平、安次、永清縣界，涿州等界盜賊事。諸州都巡檢使各一，品正七。副都巡檢使各一，品正八。散巡檢，品正九。（金百官志：諸巡檢，中都東北都巡檢使一員，正七品，通州置司，分管大興、漷陰、昌平、通、薊、盈州界盜賊事。司吏一人，掌行署文書。馬軍十五人，於武衛馬軍内選少壯熟閑弓馬人充。西南都巡檢一員，正七品，良鄉縣置司，分管良鄉、宛平、安次、永清縣並涿、易州界盜賊事。諸州都巡檢使各一員，正七品。副都巡檢使各一員，正八品。散巡檢，正九品。内泗州以管勾排岸兼之。皆設副巡檢一員，爲之佐。）

曰薊北，遼會同元年，薊縣更名幽都，府治。開泰元年，改曰析津，析津府治，宋望。（據輿地廣記。）宣和五年，廣陽郡永清軍治。（金史太祖紀、宋地理志。）金天會三年，復遼舊名。貞元二年，改縣曰大興，爲大興府治。（據金地理志。）園陵署令，宛平縣丞兼。貞祐二年，園陵遷大興縣境，遂以大興縣令、丞兼。（金百官志。）曰幽都玉河，遼初幽都府治，省廣平入幽都。開泰元年，改幽都曰宛平，析津府治，宋望。（輿地廣記。）宣和五年，省玉河入。（宋志無玉河。）金大興府治。曰良鄉，遼屬幽都府，開泰元年屬析津府，宋望。（輿地廣記。）宣和五年，屬廣陽郡永清軍。金如遼。貞元元年，屬大興府。曰固安，遼屬涿州永泰軍。宋上。（輿地廣記。）屬涿州威行軍。金屬析津府。貞元元年，屬大興府。（據元地理志。）曰永清，遼屬幽都府。周顯德六年，取縣爲霸州治。宋緊。輿地廣記。景祐二年省永清，移文安縣來治，屬霸州防禦使。皇祐元年，文安還舊治，爲文安北境。金天會三年，復永清，屬析津府。貞元元年，屬大興府。據方輿紀要。曰安次，宋上。據輿地廣記。曰香河，遼會同元年，析武清、三河、潞置。宋宣和五年，賜名曰清化。金天會三年，復香河名。大定十二年，析置寶坻。承安三年，升寶坻爲盈州，香河屬之。泰和四年復故，曰潞。宋縣上。輿地廣記。遼太平中，析潞置縣曰漷陰。今通州西南。金天德三年，于潞置州曰通，據元地理志。下，據金地理志。領縣三，屬河北東路。曰三河，遼隸薊州。宋中，輿地廣記。隸同。金天德三年隸通州。曰武清，遼析置香河。曰寶坻，下，金大定十二年，析香河東境置。承安三年，升盈州，領武清、香河。泰和四年，復爲縣。曰昌平，後唐燕平也。晉天福中復名，賂遼。宋望，金下。輿地廣記、金地理志。安次等八縣均屬如良鄉。曰順州歸甯軍，遼治縣。曰懷柔，屬南京道。開泰元年，改曰順州歸化軍，中，屬燕京路。據遼地理志。宋宣和五年，賜名曰順州順興郡團練軍，屬燕山路。金天會三年曰順州，下，據金地理志。治懷柔，又領密雲，尋省，屬析津府。明昌六年，改懷柔曰温陽，屬大興府。曰密雲，行唐，按：行唐亦今密雲地。遼初省燕樂入密雲。方輿紀要：五代廢爲燕樂莊。新置縣曰行唐，按：行唐近唐僑縣。屬檀州威武軍。宋賜行唐名曰威塞，屬横山郡鎮遠軍節度使。金天會三年，省行唐，以順州領密雲，屬析津府，後省密雲，復置檀州，屬大興府。曰范陽，今涿州。遼于縣置州，軍曰涿州永泰軍，上，據遼地理志。並領固安，及非今屬之新城。宋宣和五年，賜郡名曰涿水，升威行軍節度使，據宋地理志。上，據輿地廣記。治范陽，領固安及非今屬之歸信、新城，尋割歸信。金涿州，中，據金地理志。大定六年，并領定興，非今屬。地理韻編：定興今保定定興治。八年十月，命涿州刺史兼提點山陵。金世宗本紀。二十九年，又領萬甯，屬府同良鄉。曰萬甯，今房山。金大定二十九年置，涿州領，屬大興府。明昌二年，改縣曰奉先，屬如故。曰霸州，在宋爲中，據宋地理志、元豐九域志。隸河北路。景祐元年，改霸州防禦使，徙治文安，屬河北路安撫使。二年廢永清，徙文安於永清，爲州治，屬河北東路安撫使。皇祐元年，文安復爲州治。政和三年，賜名永清郡。宣和五年，屬燕山府路。金屬河北東路。貞元二年，屬中都路大興府。金大定二十九年，治縣曰益津，據方輿紀要。領文安、大城，又領縣曰信安。今霸州東。先是，宋太平興國六年，割霸州之永清、文安三百十七户屬周，置之破虜軍使。據寰宇記。景德二年，改信安軍使。金大定七年，改縣，隸霸州。元光元年，升鎮安府，霸州屬焉。曰文安，遼會同元年屬莫州。周顯德六年屬霸州。宋上。據輿地廣記、元豐九域志、宋地理志。景祐二年，屬霸州防禦，省永清來入，移治故永清。皇祐元年復舊治。政和三年，賜霸州名永清郡。金天會三年，霸州領屬析津府。貞元元年，屬大興府。曰大城，周顯德六年屬霸州。宋上。據輿地廣記、九域志、宋地理志。宋、金屬同文安。曰平戎軍，宋初爲雄州歸信縣東境，太平興國六年，升平戎軍。寰宇記。景德元年改曰保定軍，隸莫州。宣和七年，改曰保定縣，知縣事仍兼軍使，秩同下州。據輿地廣記、元豐九域志、宋地理志。金天會三年隸雄州。貞元二年，雄州領，屬大興府。曰薊州，治縣曰漁陽。遼會同元年，薊州號尚武軍刺史，上，據遼地理志。領漁陽、三河，又玉田，非今屬，屬幽都府。開泰元年，屬析津府。宋下。據輿地廣記。宣和五年，漁陽賜名曰平盧，餘如遼，屬廣陽郡永清軍。七年，割玉田。金中。據金地理志。復漁陽縣名，增領，非今屬之遵化，屬析津府。天德三年，改三河屬通州。貞元元年屬大興府。大定二十七年，增領平峪，又永濟，非今屬。泰和中改永濟爲豐潤。曰平峪，金大定二十七年，以漁陽大王鎮置。元宛平縣，秩正六品。達嚕噶齊一，尹一，丞三，主簿三，尉一，典史三，司吏二十六。大興縣，秩正六品。達嚕噶齊一，尹一，丞一，主簿二，尉二，典史三，司吏一十五。至元十一年置。元百官志。志又云：宛平治大都麗正門以西，大興治以東。東關箱巡檢司，秩從九品。巡檢三，司吏一，掌巡捕盜賊奸宄之事。至元二十一年置。西北、南，同。元百官志。延祐四年，置盧橋等處巡檢司。元仁宗紀：延祐四年十二月己酉，盧溝橋、澤畔店、瑠璃河並置巡檢司。諸州諸縣，立自中統五年，未有等差。元百官志：中統五年，併立州縣，未有等差。至元三年，定上、中、下等凡三。元百官志：諸州，至元三年，定一萬五千户之上者爲上州，六千户之上者爲中州，六千户之下者爲下州。于是陞縣爲州者四十有四。縣户雖多，附路府者不改。諸縣，至元三年，合併江北。六千户之上者爲上縣，二千户之上者爲中縣，不及二千户爲下縣。二十年，定江淮以南，三萬户之上者爲上州，二十年，又定其地五萬户之上者爲上州，三萬户之上者爲中州，不及三萬户者爲下州。江南既平，二十年，又定其地五萬户之上者爲上州，三萬户之上者爲中州，不及三萬户者爲下州。

品，判官秩正七品。中州：達嚕噶齊、知州並正五品，同知從六品，判官從七品。下州：達嚕噶齊、知州並從五品，同知正七品，判官正八品，兼捕盜之事。參佐官：上州，知事、提控案牘各一員；中州，吏目、提控案牘各一員；下州，吏目一員或二員。中上縣，秩從六品。達嚕噶齊一員，尹一員，丞一員，簿一員，尉一員，典史二員。中縣，秩正七品。不置丞，餘如上縣制。下縣，秩從七品。置官如中縣，簡以簿兼尉。元百官志。後別置尉，印。典史。又秩九品。巡檢一。元百官志：後又別置尉，尉主捕盜之事，別有印。典史一員。巡檢司，秩九品。巡檢一員。曰大興，曰宛平，並赤，據元地理志。至元元年爲大興府治。二十一年爲大都路總管府治。曰良鄉，下，據元地理志。屬大興府。二十一年屬大都路總管府。曰固安，太祖十年爲涿州屬。憲宗九年爲霸州屬。尋改直隸大興府。中統四年，升曰固安州，下。曰永清，下。據元地理志。曰安次，屬大興府。大宗七年，改霸州領屬。中統四年，升曰東安州，下。曰香河，下，屬大興府。至元十三年，漷州領屬。曰通州，下，治縣曰潞，并領三河，又治通州境。曰漷州，至元十三年，漷陰縣升，領武清、香河。曰三河，下，爲通州屬。曰武清，下。曰寶坻。曰昌平。今州。曰順州，下。據元地理志。太祖十年，省温陽入州。曰檀州。今密雲。曰涿州，下，治縣曰范陽，領縣曰奉先。至元二十九年，更奉先曰房山，下。據元地理志。太宗八年，涿州升路。中統四年復故。曰霸州，下。據元地理志、霸州周志：知州一，判官二，一掌賦，一掌馬，吏目一。太祖十年，治縣曰益津，廢鎮安府入州。又領縣曰文安，下。據元地理志、文安楊志：達魯花赤一，縣尹一，丞一，主簿一。曰大城，下。據元地理志。太宗七年，增安次。憲宗四年，增固安。尋割屬大興府。中統四年，省益津入州，安次升東安州。至元二年，復益津，省保定入。四年復置縣，曰保定，下，據元地理志。爲霸州屬，與永清等州縣屬大興府。至元二十一年，屬大都路總管府。曰薊州，下，治縣曰漁陽，領縣曰平峪，下。據同上。至元二年，省平峪入漁陽，十三年復置縣，改曰平谷。二十一年，省入漁陽外，豐潤、玉田、遵化非今屬，明不設州刺史，而州坿府。通考。直隸州。知州一，從五品。同知，從六品。判官，從七品。其屬，吏目。明職官志。志又云：明州里不及三十年而無屬縣，裁同知、判官。有屬縣，裁同知。其屬，吏目一。通考：知州掌教養民之事，州務上視府，下視縣，以月計上府，歲計上省，以三歲之計上吏部。同知清軍匠或兼巡捕，判官、督糧官，捕盜，治農，管河，分職任事，而領于知府。吏目典出納文移，或分領州事，諸所屬衙門如府者亦如之。太祖初定縣三等：上從六；中正七；下從七。已而並改正七，京縣知縣正六，通考：太祖初定縣三等，賦十萬石以下爲上縣，知縣從六品。六萬石以下爲中縣，正七品。三萬石以下爲下縣，從七品。已而並改正七品。京縣正六品。明職官志：宛平、大興二縣，各知縣一，正六品。丞，正七；主簿，正八。明職官志。志又云：二縣職掌如外縣，以近涖輦下，故品秩特優。通考：知縣掌教縣民之事，歲貢學生三歲貢生歲攢實徵，十歲造黄册，賦役視丁與産，獄訟考諸律例。明職官志：洪武十七年，定州縣條例八事。所屬有巡檢司、税課局、驛遞、河泊所、倉草場者，設官如州。通考。巡檢司改爲雜職，在洪武十有三年。明職官志：洪武二年，廣西設巡檢司，以警奸盜，後遂增置各處。十三年二月，特賜敕諭之，尋改爲雜職。其縣曰大興，知縣一，丞二，主簿一，典史一，遞運所官一。曰宛平，知縣一，丞三，主簿一，典史、巡檢四，一盧溝橋，一王平口，一齊家莊，一石港口。廣源閘官一。據萬曆沈志。二縣洪武元年北平府治。永樂元年，順天府治。曰良鄉，知縣、丞、主簿、典史各一。據同上。曰固安，知縣一，丞二，分職糧、馬，嘉靖三十六年裁糧丞，四十二年裁馬丞，主簿、典史、河甯巡檢各一。據固安陳志。曰永清，知縣一，丞一，成化年廢，主簿、典史各一。據萬曆沈志。曰東安，明地理志：東安府東南，元東安治在西，洪武三年徙今治。知縣一，丞一，又主簿、典史各一，裁。據東安李志。曰香河，屬漷州，洪武十年省縣入州，十三年縣復置。知縣一，治農主簿一，成化年廢，典史一。據香河劉志、萬曆沈志。曰通州，洪武元年省潞入，知州一，同知一，判官三，分職馬與糧與柴，正德間裁職柴者，吏目、潞河水馬驛丞、和合驛丞、遞運所大使、張家灣巡檢、宏仁橋巡檢、稅課局大使、通濟庫大使各一。據萬曆沈志、通州高志：潞河驛，永樂中置丞一，和合驛，永樂中置丞一，萬曆四年移置張家灣。通州領縣曰三河，知縣一，丞一，裁，主簿二，分職管糧，典史一，據萬曆沈志。按：三河陳志云，主簿一，非也。泃河驛丞一，東門遞運所大使一，泥窪舖巡檢一，後移夏店。據三河陳志。十年，寶坻由北平府改屬。十二年，武清由漷州改屬，又治通州境。曰漷州，十三年改曰漷縣，屬通。據金元地理志。知縣、主簿、典史、楊邨巡檢、楊邨遞運所大使各一。曰武清，初隸漷州，洪武五年直隸北平府。知縣一，丞，河西務管河主簿，典史，河西驛丞，河西務巡檢，楊邨驛丞，遞運所大使，大直沽巡檢各一。又河西稅課局大使一，廢。據萬曆沈志。十三年隸通州。曰寶坻，洪武十年隸通州，知縣、丞、主簿、典史、蘆臺巡檢各一。據萬曆沈志、寶坻洪志。曰昌平正德，五年升爲州，領順義、懷柔、密雲，尋罷。八年復爲州。知州、判官、吏目各一。據萬曆沈志、昌平宋志。領縣三，曰順義，知縣、丞、主簿、典史、驛丞、倉副使各一。據萬曆沈志。曰密雲，元檀州也，洪武元年置，省檀州入。知縣、丞、典史各一。據密雲周志。曰懷柔，洪武元年析昌平、密雲置，知縣、典史各一，又主簿一，管馬，嘉靖中廢。據萬曆沈志、懷柔吳志。正德八年屬昌平州。曰涿州，洪武元年省范陽入州，知州、同知、判官、吏目、遞運所大使、倉大使、稅課大使、涿鹿驛丞各一。據明地理志、涿州吳志。領縣曰房山，據明地理志。知縣一，丞一，又主簿一，嘉靖間裁，又典史、磁家務巡檢各一，宣德間裁。據房山佟志。曰霸州，洪武初省益津入州，知州一，同知一，萬曆末革，判官二，嘉靖中省一，吏目、苑家口巡檢各一。據霸州周志。領縣曰文安，知縣一，丞二，又主簿、典史各一。據文安楊志。按：楊志云，丞二，嘉靖三十七年裁，然載隆慶年兩丞，注云裁缺。據知，丞不盡裁於嘉靖年。曰大城，知縣、丞、主簿、典史各一。據萬曆沈志。曰薊州，洪武元年省漁陽入州，同知、判官、吏目、漁陽驛丞、南關遞運大使、倉大使、副使、庫大使各一。據萬曆沈志、薊州張志。領縣曰平谷，知縣一，丞一，又典史、積留倉大使各一，隆慶年廢，據平谷朱志。十年省平谷入三河，十三年復。按：薊州又領縣玉田、豐潤、遵化，非今屬。

已上州縣，洪武元年屬北平府，永樂元年屬順天府。

	漢	隋
大興知縣		馬貴 薊令。（據馬君起石浮圖頌） 馬君才 隋末爲薊令，燕王藝師之，以有燕都之衆，武德初拜武侯大將軍。（據韓愈唐絳州刺史馬府君
宛平知縣		
良鄉知縣		
固安知縣		
永清知縣		
東安知縣		
香河知縣		
通州知州	吴漢 安樂令，詳傳。	

唐

行狀）

蘇孝韞 薊令，事安禄山。（據舊唐書苗晉卿傳）按：韞，舊唐書作愠，册府元龜作藴，今從通鑑二百十五。

趙朓 幽都令，宋太祖高祖。

宋晙方 薊令，調涿令，詳傳。

盧軺 永清縣令。（據劉宗望授盧軺等制文）

邊日照 永清令，附邊敏傳。

聞生元

相 武隆縣令。（據會福寺石幢）

譚憲 譚忠弟，安次令。（據杜牧燕將録）

邊敏 潞縣令，詳傳。

遼	金
崔簡 薊北縣令，統和九年三月，決諸道滯獄。（據遼聖宗紀）	李革 字君美，河津人，大定年，大興縣令。（據金史列傳） 焦旭 世宗時，大興令，詳傳。
	劉彥弼 大定十二年，宛平令，曹國公主家奴犯事，彥弼杖之。（據金史世宗紀）
大公鼎 咸雍年，良鄉令，詳傳。	焦旭 世宗時，良鄉令，改自大興，詳傳。 周昂 字德卿，真定人，大定進士，南和簿遷良鄉令。（據金史列傳中州集）
	王競 字無競，彰德人，天眷元年，固安令。（據金史列傳） 張定遠 正隆間，知固安縣，政稱善。（據固安陳志） 高昌裔
	馬琪 正隆時，永清令，詳先賢傳。 張暐 字明仲，莒州日照人，正隆間，永清令。（據金史列傳）
	白彥敬 博勒和部族人，初名彥恭，熙宗時，通州防禦使。（據金史列傳） 完顏守能 大定二十一年，通州刺史。（據金史世宗紀）

，知固安縣，大定十一年，世宗間不職，罷之。（據金世宗紀）

成奉先 大定十一年，固安令，詳覇州佐屬。

完顏六斤 大定中，固安知縣。

郭世傑 大定二十一年，振貸，通州刺史，郭世傑總其事，奪俸三月。（據金史世宗紀）

康元弼 字輔之，大同雲中人，大定末，通州刺史，兼領漕事。（據金史列傳）

盧構 泰和元年，通州刺史，

請諸稅錢銀鈔均納，下省議。（據金史）

史肅　泰和八年正月，通州刺史，坐私議朝廷，杖之。（據金史章宗紀）

張行信　泰和間，通州刺史。（據通州高志）按：金史行信傳，不言其爲通州刺史，史漏略也，或另是一人。

完顏魯爾錦原作六斤，中都路額特赫格們明安人，大安中，通州軍事判官，以功遷本州刺史。（據金史列傳）

完顏霆貞祐間，遙授通州刺史。（據金史傳）餘詳寶坻表。

元

劉德寬 至元十六年，知固安州，興學校。（據固安陳志名宦）

馬塔剌

海温 大德九年，固安州達嚕噶齊，兼管本州諸軍奥，曾勸農事。（據固安陳志）

高淵 字巨川，大都人，大德九年，知固安州。

紐成甫 永清縣達嚕噶齊，政教肅然。（據永清周志）

和尚 至正間，永清縣達嚕噶齊，有惠政。（據畿輔唐志）

伯顏察兒 永清縣達嚕噶齊，撫綏著異績，民立碑。（據永清周志）

田誠 元貞二年，知東安州，詳傳。

趙時敏

牛德裕 並太守。（據東安李志）

卜蘭奚 至正二十三年，東安州達嚕噶齊。（據東安李志）

世寶墀 至正二十三年，知

張伯達

趙居禮 大德間任，創州學。（據通州高志名宦傳）

速朗吉

大 至治初，通州達嚕噶齊，坿楊齊賢傳。

李也先 至治初，通州尹，坿楊齊賢傳。

趙義 天曆

（據固安陳志） 薛世昌 泰定三年，知固安州，教養兼舉，徵爲大史院經歷。（據固安陳志名宦） 王鈞 字子衡，泰定四年，知固安州，勸農興學。（據固安陳志名宦） 昔思哥 固安達嚕噶齊。（據固安陳志）
伯顏 永清縣達嚕噶齊，博達敏惠，民建祠。據同上。
東安州。（據東安李志）
元年，知通州。（據元文宗紀）

明

羅謙亨 洪武八年任。（據大興張志）　淳于士 山東黃人，薦舉，十九年任。（據題名碑）　王禮 河南 鄧州人，舉人，永樂年任。（據大興張志）　蘇敬民 高陽人，舉人，正

賀銀 洪武 末任。（據宛平王志）　楊思恭 永樂年任。　楊濬 山西 忻州人，舉人，正德五年任。　孫璵 萬全 人，歲貢，八年任。　李莊 山西 忻州人，舉人，十

劉文輔 洪武三年任。　盛恕 按盛良鄉楊志譌藍，今據萬曆沈志。　胡景讓 洪武十四年任。　王弼 永樂 十二年任。　賈褫 景泰 七年任。（據呂文懿集）　張佐 成化

李資 洪武 初任。　劉敬 河南 通許人，宣德七年任。　李鐸 河南 舞陽人，監生，正統六年任。除民害，不避權要，註誤去。　袁應絢 浙江鄞人，正統十四年任，勤且謹。（已上據固安陳

盛本初 洪武初任，入名宦。（據永清周志）　劉子初 十二年任。按：永清周志子作之。　李昇 二十 二年任。　王振 永樂 二年任。　王居敬 永樂年任。按：永清周志奪

侯文秀 詳傳。　王友信 山東人，洪武七年任。　王觀 十一 年任。　岳鎮 十五 年任。　秦士弘 十八年任。　鄧侯 金壇 人，舉明正直科，二十二

韓琚 山東 人，舉人，洪武年，知香河縣，四年建儒學。　張文淵 宿遷人，監生。　張茂 山東 茌平人，監生。　周安 河南 洛陽人，監生，洪武年任。　王璋 山西 潞州人，監生。

韓約 永樂 初任，入名宦。（據通州高志）　方伯大 監生，永樂間任，修志。通州高志入名宦。按：萬曆沈志奪大字。　王琬 陝西 人，監生。　王瑀 江南 松江人，監生。並永樂年任。

統三年任。
馬通 正統間任。（據野獲編二十）
趙孜 河南汝陽人，舉人，嘉靖十年，遷刑部主事。
林朝 陝西皋蘭人，舉人，十四年任。
景鑾 陝西岐山人，舉人，十

二年任。
島璞 山西陽曲人，舉人，正德十四年任。
周伊 山西陽曲人，官生，嘉靖七年任。
李元芳 陝西秦州人，舉人，十年任。
翁汝爲 山西陽曲人，舉人，十五年任。

七年任。
高迪 成化年任，開城西門，祀名宦。按：良鄉楊志云正德，今據萬曆沈志。
武志學 成化年任，詳傳。
車鼐 山西石州人，監生，正德元年任。按：良鄉楊志車謁卓，今據萬曆沈志。

志）
李端 詳傳。
滎瓚 山東堂邑人，成化二年任。
賈貴 九年任，詳縣丞表。
朱善 滁人，舉人，十四年任。
齊魯 山西大同人，舉人，弘治四年任。

衛厚 正統十年任。（已上據萬曆沈志）
史逵 （據永清周志）按：萬曆沈志奪。
許健 山東濮州人，成化五年任，建儒學。（據永清周志）
王佐 山西遼州人，戊戌進士，成化十六年任。

年任。
李驥 詳傳。
李茂 永樂十五年任。
王睿 詳傳。
馮珍 陝西人，監生，天順四年任。
于璧 山東人，進士，八年任，清且肅，（據東安

彭彰 陝西寶雞人，監生。
甄仲釉 山西蔚州人，舉人。
王緝 山東沂水人，監生，嘉靖間任。（據萬曆沈志）按：香河劉志緝作緯。
覃友輔 湖廣長沙人，監生。

楊衡 山西岢嵐州人，遷治中。
李經 山西人。
章瓚 □三人，正統年任。
夏昂 浙江餘姚人，景泰間任，修州治。（已上據通州高志）
丁選 陝西人。

七年任。
王懷袞 河南商水人，舉人，十八年任。
曹英 四川江津人，舉人，二十一年任，遷工部主事。
王世光 河南洛陽人，舉人，嘉靖二十五年任。
張曰可

楊松 陝西延安人，舉人，十七年任。
喬遷 山西洪洞人，舉人，十九年任，遷户部主事。
薄世祐 山西定襄人，舉人，二十四年任，遷太僕寺丞。
符仕 河南甯陵人，舉人，二十九年任

孟淳 字德厚，陝西岐州人，三年任。
于沂 山東新城人，舉人，七年任。
趙憲 山西人，八年任。
張完 遼東人，監生，十年任。按：良鄉楊志完謁元，今據萬曆沈志。
申良 字延

嵇清 河南閿鄉人，舉人，五年任。
王鳳 河南考城人，舉人，六年任。
程霽 山西和順人，舉人，六年任。
李豪 鳳陽人，舉人，十一年任。
辛文淵

趙志學 河南修武人，舉人，二十二年任，政無苟，祀名宦。（據永清周志）
韓凱 成化中任。
白思齊 遼東人，弘治年任。
李仁 山東曹人，舉人，弘治中任，賑飢剔蠹。

（李志名宦）
程資 河南人，成化元年任。
鄭興 山東人，監生，七年任。
朱華 滁州人，舉人，弘治八年任。
景佐 山西蒲州人，進士，五年任，精敏有聲，遷參議，祀名宦。

郭寶 陝西三原人，監生。
趙儒 自通州州判遷，詳通州表。
黃紋 浙江蘭溪人，監生。
董玉林 山東人，舉人，河間府通判。
游新祐 嘉靖二十□年任，詳傳。

胡應先 湖廣麻城人，舉人。
盧遂 浙江金華人，舉人。景泰四年任。
何源 詳傳。按：源天順年任，萬曆沈志云景泰年，非也。
孫禮 山東鄆城人，舉人。
傅皓 詳傳。

河南河陰人，舉人，二十八年任。

温尚武 三十年任，遷自文安，未任。

崔尚禮 安肅人，舉人，三十年任。

劉如松 山東安邱人，舉人，三十七年任。

吴哲 貴州永甯人，舉人，三

遷工部都水司主事。

楊早 四川內江人，舉人，三十年任，遷太僕寺丞。

周孔徒 四川內江人，舉人，三十六年任。

王纘宗 四川南充人，舉人，四十年任，遷户部江西司主事。

實，山西高平人，十二年遷安吉州。（據明史楊準傳）

傅正 河南湯陰人，十三年任。按：良鄉楊志，奪傳字。

謝珊 湖廣龍陽人，十五年任。

馬山 山東臨清州人，監生，嘉靖二年任。

山西石州人，進士，十三年任。

張鑑 山東茌平人，舉人，十五年任。

劉湜 河南太康人，進士，正德元年任。

馬禄 字君卿，信陽人，三年任。

張衮 鳳陽人，舉人，四年任，

黄質 山東恩人，乙丑進士。（四人據萬曆沈志）按：下十七人，沈志奪。

魯海 山東商河人，進士。

許充 江西吉水人，舉人。

吴佐 江西鄱陽人，監生。

吴亮 南直泗州人，監生。

（據東安李志）

郭淳 山西高平人，舉人，八年任。

蔣昇 湖廣荆門州人，進士，十一年任。

張堯龍 山東濟甯人，舉人，十五年任。

郭登 山西洪洞人，舉人，正德元年任。

楊孜 詳傳。

張楠 陝西鄠人，舉人，嘉靖三十年任。

羅士賢 河南泌陽人，舉人，三十二年任。

趙千之 山東鄒縣人，監生，三十四年任。

徐松 山東長清人，舉人。

柳大林

智聰 山西清源人，舉人。四人成化年任。

邵賁 字文實，浙江餘姚人，進士，弘治年任。

葛洪 詳傳。

鄧淳 山東平陰人，舉人，弘治間任，寬役，遷南京宗人府經歷，

，十八年任，遷户部主事，後官懷隆守備。
黃元吉 湖廣郧西人，舉人，四十一年任，遷南京户部主事。
高世儒 坿顏鯨傳。
申嘉瑞 河南葉人，舉人，隆慶二年任，遷户部主事。

胡鳳來 江都人，四十三年任，遷户部廣西司主事。
馬攀龍 山東陽信人，舉人，隆慶元年任，遷禮部精膳司主事。
朱柱芳 河南裕州人，舉人，四年任，萬曆二年遷户部福建司主事。

王誼 山西安邑人，三年任。
王文秀 詳傳。
謝朝陽 山東人，監生，八年任。
辛汝弼 九年任，詳傳。
魏倫 山西人，十一年任。
吴世美 河南人，舉人。

性純恪，旱禱雨輒應。
王宇 字德周，西安衛人，十四年任，升順天府通判。
孫璁 鹽城人，監生，十五年任。
王雄 山東德州人，舉人，十六年任。
趙漢 山西

王景雲 河南杞人，監生。
喬致和
許冕
張舉
趙景福 山西忻州人，監生。
張本立 山東壽光人。
顏宗學 山西人，監生。
秦璧 河南修武人，

杜泰 山東長清人，進士，三年任。
彭偉 山東掖縣人，四年任。
周義 山西翼城人，舉人，八年遷永平通判。
武魁 山東沂州人，舉人，十年任，遷知鄭州。
傅相 山東長山人，舉人，十

楊萬祺 山東曹州人，舉人，嘉靖二十五年任。
劉耀武 遼東遼陽人，舉人，三十九年任。
范經 山西鳳台人，監生，四十二年任。
楊應 河南桐柏人，監生，四十四年任。

祀名宦。（據通州舊志）按：萬曆沈志鄧作郭，云俱成化年，非也。
葉清 詳傳。
嚴端 山西人，貢監。
楊濬 山西忻州人，舉人。
劉澤 陜西人，舉人。
堅晟 調自

薊州。按：萬曆沈志晟作成。
陳溥 江西 樂安人，舉人，調自灤州，遷同知。
王稷 江南 太倉人，舉人。
劉繹 詳傳 。八人正德年任。
張舜舉 山西人，舉人，嘉靖二年任。
許仁 山東

翁榮 福建 莆田人，舉人，四十五年任。
萬通 江西 南昌人，進士，隆慶元年任，遷蘇州通判。
傅樸 河南 洧川人，舉人，四年任。
安守魯 坿王道定傳。
孫光祖

二年任。
張雲 陝西 鳳翔人，舉人，十五年任。
胡瀹 河南 洛陽人，進士，遷知嘉興府。
韓褱 山東 魚臺人，舉人，五年遷工部員外。
張鉞 山東 登州人，舉人，十一年任。
胡汝輔

監生。
樊相 山西 人。
潘汝佐 四川閬中人，監生。
劉乾 河南 光州人，監生。
張應奎 山東人，監生。
馬錫孝 河南滎陽人，監

人，舉人嘉靖元年任。
李松 江南 長洲人，進士，二年任。
李玞 河南 安陽人，舉人，六年任。按：固安陳志，玞作玦，今據萬曆沈志。
漆錦 陝西 秦州人，監生，十年任。

劉宗哲 山西人，舉人，十三年任。
雷世榮 山西蒲州人，舉人，十五年任，遷通判。
毛孔剛 河南人，十八年任。
熊瑶 陝西 人，二十五年任。
李承恩

李錦製 山西榆社人，舉人，萬曆二年任。
王誥 江西 清江人，舉人，三年任，遷太僕寺丞。
李蔭 詳傳
朱兖 江西 德化人，舉人，九年任，遷南京刑部河南司主事。

胡來縉 陝西秦州人，舉人，四年任，遷户部主事。
王極 山西 陽城人，萬曆二年任。
沈淇 當塗 人，舉人，三年任。
陳紀 四川 內江人，舉人，萬曆八年任，遷户部

河南司主事。（已上據題名碑）
王階 四川 漢州人，舉人，十三年任。（據明史大興張志）
王建中 江西上饒人，十六年任，遷刑部浙江司主事。
崔謙光 魏人，舉人，二十一年任。（已上據題

孔祖堯 廣西臨桂人，舉人，十四年任。
徐啓東 浙江上虞人，舉人，十五年任，十八年遷南京工部營繕司主事。（二十五人據題名碑）
張應辰 字聚垣，萬曆中任，遷户部雲南司主事。

山西人，舉人，二十五年任。
劉服膺 河南人，舉人，二十八年任。
杜廷瑄 陝西人，舉人，三十一年任。按：杜一作祖。
鄭東 河南 人，進士，十二年任。
呂哲 由良

馬馴 陝西 綏德人，舉人，十二年任。
王黼 山西 大同人，監生，十二年任。
萬旬 山西 清源人，舉人，十九年任。
翟澄 山東 德人，進士，二十一年任。按：固安陳志澄作登。

生。（已上據永清周志）
張巘 浙江 上虞人，監生。
嚴睿 山西 忻州人，己未進士，正德元年任。
郭名世 山西安邑人，四年任，修縣城。
宋悅 監生，八年任。
陳大綱 山西浮山人，監生，

山西石州人，十二年任。
劉繼先 山東新泰人，監生，十六年任。
趙廷琦 山西岢嵐州人，舉人，二十年任。
汪宗之 江西貴溪人，舉人，二十六年任，遷應天通判。
成印 陝西

山西興人，監生，萬曆元年任。
馮叔奇 山西汾陽人，舉人，二年任，修學宮雲路。
王道定 詳傳。按：萬曆沈志定作廷，然良鄉楊志題名碑，與香河劉志合。
王訪 陝西 膚施人，舉人，萬

蓬萊人，嘉靖三年任。
曹俊 詳傳。
霍淮 詳傳。
吳瑩卿 浙江錢塘人，十二年遷自饒州推官。按：萬曆沈志奪卿字。
張旄 山東 長清人，十三年

名碑）馬運泰 雲南臨安人，舉人，二十四年任。經世文 江西臨川人，舉人，二十七年任。葉士敦 山西聞喜人，三十一年任。張我繩 邯鄲人，舉人，三十四年任。

沈榜 詳傳。胡從賓 山東即墨人，舉人，二十一年任。（據題名碑）尤際昌 南直吳人，舉人，三十七年任。張琨 陝西涇陽人，舉人，三十年任。黃茂 四川

鄉調任，遷大理評事，詳漷縣表。樊巍 雲南人，舉人，三十五年任。徐之蒙 遼東人，舉人，三十八年任。習鷟 陝西人，監生，四十年任。吳國賓 山東人，舉人，四

王民 山東臨清人，進士，二十四年任。蘇繼 山東壽光人，進士，二十六年任，甃城，遷刑部主事，祀名宦。王喬年 山東高密人，進士，三十年任。皇甫渙 吳江人，進士，三

十二年任。何聰 山西人，舉人，十六年任。李時用 河南衛輝人，舉人，嘉靖四年任。張玫 山西夏人，舉人，九年任。張寬 南直全椒人，舉人，十五年任。

耀州人，舉人，二十七年任，遷永平通判。秦璿 廣西桂林人，舉人，二十九年任。劉恩 山東壽光人，舉人，三十三年任。楊縉 陝西隴州人，舉人，三十五年任。文邦彥

曆九年任。遲聘 山東蒲臺人，歲貢，十四年任。王廉 山東海豐人，歲貢，十六年任。陳增美 山東海豐人，舉人，二十年任。（三十三人據題名碑、香河劉志）宗名世

任。高桂 江南高郵人，舉人，十七年任。麻强 河南人，監生，十八年任。韓瓚 山西人，舉人，十九年任。蔡椿 詳傳。汪有執

周道直陝西臨潼人，舉人，三十七年任，遷户部主事。王橋湖廣彝陵人，舉人，三十九年任。周三錦直隸人，舉人，四十一年任，遷刑部主事。楊夢熊山西聞喜人，四十

富順人，舉人，三十四年任。劉曰淑詳傳。李嗣善雲南泰和人，舉人，三十八年任。杜冠時陝西安化人，貢生，四十年任，遷應天通判。余世麒四川内江人，舉人，

十一年任。張崇謙山西蒲州人，舉人，四十二年任。蔡應陽湖廣麻城人，舉人，四十三年任，遷江南道監察御史。朱環貴州人，舉人，四十五年任，遷南京工部主事。按：環，良鄉楊志謫還。

十一年任。崔宗堯山西長治人，進士，三十一年任。錢師周華亭人，舉人，三十五年任。祝爾耆浙江龍游人，監生，三十九年任。王樞山東長山人，舉人，四十一年任。

李鷹廣西桂林人，舉人，二十一年任。周鳳鳴陝西甘州人，二十五年任。李世芳山東歷城人，監生，二十八年任。張翰弼山東夏津人，三十年任，興學校，分俸儲書。

廣西全州人，舉人，三十七年任。白鶴河南衛輝人，舉人，三十八年任。江一定遷自東安縣丞。姚守中陝西洮州人，監生，四十二年任。陶楝山東歷城人，舉人，四十三年調自羅山，

南直興化人，進士，二十三年任，遷工部主事。魏翥山西武鄉人，歲貢，二十四年任。劉沐陝西同官人，歲貢，萬曆二十五年遷自宛平縣主簿。焦元卿詳傳。按：香河劉志名宦傳云：萬

詳傳。劉晫江西高安人，舉人，二十七年任。詹贄江西玉山人，二十八年任。陳宗武湖廣人，舉人，二十九年任。劉堤陝西興平人，舉人，三十二年任，遷員外。

六年任，遷刑部主事。

李思敬 興化人，泰昌元年任，遷刑部主事。

程道行 四川南充人，舉人，天啟元年任。

徐繼藩 四川屯人，舉人，三年任，遷刑部主事。

馮福謙 四十四年任。

解允淑 陝西韓城人，舉人，四十七年任。

劉國英 四川閬中人，舉人，天啟元年任。

何意 四川宜賓人，舉人，四年任。

趙善鳴 南直廬江人，舉人，四年任。

安守魯 隆慶二年任，坿王道定傳。（已上據萬曆沈志，參良鄉楊志）

王偉 隆慶年任。

王鴻儒 隆慶年任

張齊 萬曆年任。按：已上三人，良鄉楊志奪。

洪一謨

何永慶 字善夫，河南人，進士，四十三年任，纂志，修學宮。

李承式 山西大同人，進士，四十年任。

胡價 湖廣宜城人，進士，四十五年任。

劉泮 江西泰和人，進士，隆慶元年任。

王業 徐州人，舉人，三十二年任。

何宏 湖廣麻城人，監生，三十五年任。

李循道 陝西通渭人，監生，三十七年任。

王鎮 山西代州人，舉人，四十一年任。

馮鎰 河南

作題名記。

王宗堯 山西聞喜人，四十五年任，遷工部郎中。

劉祐 陝西咸陽人，舉人，隆慶二年任，遷知石州。

王邦直 山東臨朐人，舉人，五年任。

李錦製

曆三年任。而秩官又云二十六年，其再任與？

徐兆麟 江南通州人，歲貢，萬曆二十八年任。

李垂街 三十年任，調武清，詳武清表。

馬從龍 河南孟津人，舉人，三十年任。

明善 湖廣麻城人，舉人，三十六年任。

强自省 陝西鳳翔人，三十七年任。

李蘊 山東堂邑人，舉人，三十七年任。

楊動之 山西遼州人，舉人，三十八年任。

韓甯 山西

四川南充人，舉人，五年任，遷刑部主事。
饒可從　江西金谿人，舉人，七年任。（已上據大興張志）
饒可久　湖廣應城人，崇禎初任。
朱紘　山東濟寧人，舉人，九年任。

談國官　河南河陰人，舉人，五年任。
張陽純　浙江永嘉人，舉人，七年任。（十三人據宛平王志）
陳景　崇禎十四年任。（據明史陳新甲傳）

萬曆年調自東安，詳傳。
王訪　萬曆年任。（據萬曆沈志）按：良鄉楊志奪。
王道定　十一年任，詳傳。
程信
余鐙
强思　三人萬曆年任。
魏之幹

王育仁　江西泰和人，進士，元年任。
馮子履　山東臨朐人，進士，二年任，修學宮，遷□□兵備道，祀名宦。（據固安陳志）
李宜春　詳傳。
張夢蟾　壽州人，進士，萬

洛陽人，四十三年任。
葛舜臣　陝西淳化人，舉人，四十五年任。
胡來縉　陝西秦州人，舉人，隆慶五年任，清且惠，遷□□兵備副使。
臧仲學　遼東廣甯衛人，舉人，五年任，葺學

萬曆三年調自宛平。
洪一謨　山東歷城人，舉人，三年任。
張承禮　河南鄭州人，舉人，四年任。
韓景閔　山西洪洞人，舉人，六年任。
張汝蘊　山東章邱人，進士，八年任。

徐一鳴　雲南河西人，舉人，三十七年任。
楊必達　陝西寶雞人，歷山西懷仁、山東卽墨知縣，四十二年任，遷知蒲州。
李芳馨　浙江鄞人，舉人，四十二年調自福建長樂知縣，清節寡匹，四十三年卒。

陽曲人，舉人，三十九年任。
張守中　詳傳。
錢進學　山東萊州衛人，舉人，四十三年任。
劉耀武　定遼右衛人，舉人，四十五年任，遷河間府同知，仍管州事。
張智望

田見龍 湖廣隨州人，進士，十二年任。 唐廷彥 四川雲陽人，十五年任。（已上十六人據大興張志） 宗顯 字必彰，浙江鄞人，進士，遷自宜興知縣，廠衛皆服其清，秋毫無犯，遷南京都察院經歷，圖志

二十三年調自漷縣。 錢一鶚 陳善 傅楷 李廷梧 艾友芝 調自漷縣，詳表。 牛象坤 山東人，舉人。 楊瀚 山西人，舉人。

曆三年任。 王錀 山西忻州人，進士，八年任。 梅國楨 詳傳。 李伯華 山東掖人，進士，十六年任，葺學宮，置學田。（據傳好禮固安新置學田記） 常道立 江西高安人，進士，

宮。 李穩 河南汝陽人，監生，萬曆元年任。 劉希孔 山西長治人，舉人，四年任，建長隄五十餘里，遷綏德州。 張士奇 陝西宜君人，恩貢，七年任。 田實發

阮宗道 山西大同人，十年任，廉甚，創纂縣志，遷南京大理寺評事，累官太僕寺卿，祀名宦。 王光祖 河南南陽人，舉人，十一年任。 劉式武 舒城人，選貢，十二年任。 馮沂 河南

沈萬鈳 四十三年遷自香河教諭，明年八月任卒。 于耀雲 河南洛陽人，舉人，四十五年三月任，十一月丁艱。 沈兆甲 福建晉江人，壬戌進士，嗜書，不耐吏治，病去。 歐陽輝

河南太康人，舉人，隆慶五年任。 趙可化 山西榆次人，舉人，萬曆三年任。 張綸 詳傳。 邵寵 詳傳。（已上通州高志，參萬曆沈志） 張應舉 陝西咸甯人，舉人，十一年任。

有循吏目，聞見漫錄稱之。（據全祖望外集本傳）

田生芝 詳傳。

皮洪才 浙江人，舉人，天啟年任。

胡從禮

李汝先

王家俊

吳士鯤 陝西人。

張堪 陝西人，進士。

黨還醇

十六年任，政無飾無擾。（已上據固安陳志）

周文謨 江西永豐人，進士，二十年任，修渾河大隄，護城隄。

官箴 山東平度州人，進士，二十六年任。

黃和 山東沂州人，進士，三十□年任。

陝西長安人，舉人，十三年任。

王衍義 山西交城人，舉人，十七年任。

徐學曾 浙江嘉興人，舉人，十九年任。

陳尚賢 陝西甘州人，歲貢，二十一年任。

岳九逵 詳傳。

郟人，恩貢，十三年任，人不敢犯以私，祀名宦。（據畿輔唐志六十八）

孫緒 山西應人，歲貢，十五年任，丁憂。

王朔 陝西興平人，歲貢，十五年任。

謝錫帶 山西平定人，舉人，二十年任。

廣東南海人，進士，天啟年任。

余若南 河南衛輝人，舉人，天啟年任。

王國祚 山西平陸人，崇禎進士，未任。

任光裕 坿黨還醇傳。

賀君卿 字上九，遼東人，崇禎中任。

陳登 山西清源人，貢生，十七年任，遷河間府同知。

吳來庭 江南無爲州人，舉人，二十一年任，遷刑部員外。

高位 陝西華州人，舉人，二十五年遷永平府同知，仍管州事，遷刑部員外。

詳傳。

石鳳臺 詳傳。

吳宇英 四川人，崇禎戊辰進士，四年任，興文教，入名宦。

吳鼎 山東武定人，進士，遷兵部車駕司主事。

馮季報 山東人，舉人，崇禎九年春任。

陳陞 河南夏邑人，進士，三十八年任，訟輙決。

項應譽 浙江永嘉人，進士。

孫延長 山東禹城人，四十一年任。

孫織錦 詳傳。

田生芝

潘大復 浙江烏程人，丙戌進士，二十六年任。

戴維藩 鳳陽人，歲貢，二十七年任。

郝修平 山東歷城人，舉人，二十九年任。

李懋桂 山東高密人，舉人，三十四年任。

田子耕 山東夏津人，二十二年任，恤黎重學。

徐偉 山東臨清州人，舉人，二十五年任。

曾曰唯 河南光山人，進士，二十一年任，調知武清。

李希召 河南蘭陽人，進士，

屠口 遼東人，舉人，卒。

吳一元 字見始，山東范人，辛未進士，柄不旁撓，調東安，官至四川布政使。

張肇祚 山東長清人，貢生。

張所養 陝西延川人，歲貢，崇禎年任，清甚，

梅守極 詳傳。

張問明 修學。

陳隨 湖廣江陵人，舉人，三十六年任，修新、舊二城。

楊忠裕 江南華亭人，四十年任，遷刑部員外。

顏之學

單紹雷　黃家瑞　山東滕人，崇禎甲戌進士，十一年冬任，遷禮部主事，官至淮揚巡撫。戴運昌　山西人，進士。馬及時　陝西人，進士。（已上廿三人據良鄉楊志）

湖廣麻城人，進士，四十六年任。胡其俊　四十八年由香河調任，遷監察御史，詳香河表。李士元　山東金鄉人，進士，天啟二年任，有善政。程字龍　四川合州人，進士，三年任。

王嘉續　山西安邑人，舉人，三十七年任，有善政。楊夢熊　山西聞喜人，舉人，四十一年任，有善政，遷湖廣兵備副使。邱民仰　萬曆年任。（據明史列傳）胡其俊

二十八年任，政嚴肅，遷南京戶部郎中。鄭崇岳　字霽華，浙江浦江人，舉人，三十三年任，遷南京刑部主事。段必選　雲南昆明人，舉人，三十八年任。戴之二　河南固始人，舉人，

以城工註誤。孟陳堯　河南夏邑人，崇禎年任，均地均差。田斯茂　山西高平人，舉人。耿章光　山東人，進士，崇禎中任。朱帥欽　陝西甯夏，宗室，崇禎中任。

四川巴人，貢生，四十二年任。俞孔震　江西永豐人，四十四年任，遷甯波同知。李恩　自霸州判官署。（據霸州周志）曾佑　四川井研人，舉人，天啟元年任。趙廷忠

王陛　上海人，進士，四年任。

王之鼎　陝西三原人，五年任，有惠政。

劉伸　詳傳。

秦士奇　詳傳。

黃奇遇　詳傳。

羅國士

湖廣孝感人，進士，四十五年任，調固安。

郝士燧　山西蒲州人，舉人，四十六年任。

李恩　自霸州州判署。

常儼　山西猗氏人，舉人，天啟三年任。

沈懋　山西猗氏人，舉人，三

三十九年任。

張燮　浙江餘姚人，四十四年任。

陸燧　詳傳。

陳所養　陝西洋人，舉人，四十八年任。

段銓　陝西蘭州人，舉人，天啟二年任，不受分外一錢。

沈維炳　字炎洲，湖廣孝感人，萬曆丙辰進士，崇禎年任，崇學校，有遺愛祠，遷工部侍郎。國朝起用吏部侍郎。（據香河劉志）

雲南右衛人，舉人，三年任。

陳訓　山西太原人，舉人，三年任。

劉三顧　山東海豐人，舉人，四年任。

張兆曾　詳傳。

吳尚文　浙江武康人，舉人，崇禎二年任。

山東新城人，進士，十年任。

周南 山東 陸人，進士，十一年任。

賈應寵 山東曲阜人，拔貢，十二年任。

劉光祚 雲南人，舉人，十四年任。（已上據萬曆沈志，參固安陳志）

年任。

耿仰 陝西 渭南人，貢生。

張堪 陝西 褒城人，進士，七年任。

王象雲 崇禎二年任。

李鑑 詳傳

裴章美 山西夏人，舉人，六年任。

鄭之城 湖廣平溪衛人，選貢，四年任。

邱民仰 詳傳。

歐陽保 江西新建人，舉人，崇禎元年任，以明正著，有修舉功。

盧躍龍 廣東人，舉人，三年任，廉且仁。

王曰善 湖廣江陵人，進士，二年由尚寶寺少卿任。

盧承業 山西偏頭衛人，舉人，二年由兵部主事任。

李一爵 詳傳。

趙屏始 雲南鶴慶州人，舉人，七年任。

余世名 詳傳。

孫養深 山東掖人，舉人，九年任。

張允捷 山東萊陽人，甲戌進士，十二年任，善賑恤，治好無少貸。

沈應鴻 雲南人，舉人，十四年任。

趙海 黄州人，舉人，三年任。

李之藩 山東人，舉人，四年任。

歐陽一遇 湖廣興國州人，選貢，五年任。

何達海 山西沁水人，歲貢。

楊聯芳 江南人，舉人，九年任。

嚴錫命 字意敕，四川綿竹人，進士，十一年任。

符光文 江南人，舉人，十四年任。

王直 河南人，貢監，十四年任。

高維岱 詳傳。 李棡 浙江寧波人，丁丑進士，十六年任。（已上據永清周志）
黃奇遇 詳傳。 吴一元 調自香河知縣。 鄭以誠 陝西張掖人，選貢，九年任。 王珮紘 調自保定知縣，十年任，遷鹽運使。 李之用 山西偏頭關人，舉人，十三年任，遷
郭正奇 山西太原人，舉人，十五年任。 張經 十六年殉難。（二十七人據通州高志）

趙世亮 知陝西涇州。山東掖人，歲貢，十六年任。（已上東安李志）

以下佐屬

唐

權皋 薊縣尉，詳統部佐屬表。

趙令則 天水人，薊縣尉，敏給强濟，聞於河朔，以直道事人，忤

徐秀 東海郯人，擢高第，調補幽都縣尉，天寶十二載拜信都郡長史。（據顔真卿贈梁州都督上柱國徐府君神道碑銘）

范隋 將仕郎，權知幽州良鄉縣主簿，范隋可杜國，咸通二年奉勅。（據柱國告石刻拓本）

張選 范陽人，固安縣丞。（據崔佑甫衛尉卿洪州都督張公遺愛碑頌）

李丕 潞縣丞。（據墓志）

王諫 潞縣尉。（據彭涚墓誌）

	金
刺史張守珪，貶，至德二載疾終。（據獨孤及趙府君墓誌）	蒙古滿都（原作蒙括鑾都），明昌五年十月，尚書奏察廉官，而大興主簿蒙古滿都在選中，上曰：澆浮人也，其再察之。（據金史章
按：唐書世系表，秀作琇。 張敬鉉 幽都主簿。（據李儉清河張仁憲神道碑）	
	王蔚 字守文，香河人，皇統進士，調良鄉丞，治績優等，明昌元年，尚書右丞致仕，卒。（據金史列傳）
	劉昭 世宗時，固安縣丞。（據金史宋扆傳） 溫特赫達 字子達，本名蒙古勒，蓋州安春明安人，明昌五年，中第，調固
	劉瑋 字德玉，咸平人，熙宗時，安次丞。（據金史列傳）
	完顏魯爾錦 大安中，通州軍事判官，詳州表。 完顏霆 貞祐初，遙授同通州軍州事。（據金史列傳）餘詳通州實

	元
宗紀）	
安主簿，以憂去。（據金史列傳）	劉之紀字綱夫，永清人，大德九年，同知固安州。（據固安陳志） 尚傑字英甫，大德九年，固安州判官。（據固安陳志） 王度天曆二年，同知固安州，首公興
	翟仲景 王顯 奧魯（已上三州判據東安李志） 趙彬判目。（據同上）
坻表。	李也光州同知。（據吳澄文廟碑） 張伯達通州判官，遂知通州。（據元史張礎傳）

明	
鄒雍 洪武八年，縣丞。（據儒學碑）縣丞，下五十三人同。 李綱 河南安陽人，舉人，正	
曾敏學 湖廣臨武人，舉人，永樂十六年，縣丞，慈敏得人心。（據題名碑）縣丞，下五十二人同。	
吳惟謙 河南人，遷知嵐縣。縣丞，下二十四人同。 馬驥 景泰七年任。	
王瑛 河南鄢陵人，宣德九年任，以廉能稱，建倉築隄。縣丞，下三十四人同。	學。（據固安陳志）名宦。 鎖柱 至順元年，同知固安州。（據固安陳志） 王志仁 判官。（據同上）
司憲 山東東阿人，監生，成化五年縣丞。（據萬曆沈志） 權旺 十二二年，縣丞。（據	
嚴傑 天順八年任。縣丞，下二十一人同。 何瑛 遷自主簿，詳傳。 楊英 陝西	
郭忠 陝西平涼人，監生。縣丞，下三十八人同。 李杲 遼東遼陽人，監生。	
沈義 州同，下四十五人同。 傅皓 遷知州，詳傳，並成化年任。 葛洪 弘治	

統三年任。
張震 慶都人，監生，景泰二年任。
孔鐸 沙河人，監生，成化五年任。
張信 冀州人，監生，十七年任。
王輔 浙江永嘉人，監生，二十七年任。

王文焕 景泰年任。（據宛平王志）
袁道 陝西耀州人，監生，正德十二年，遷河南懷慶通判。
馬珍 陝西同人，監生，正德年任。
趙鑑 山東人，監生，遷保定府通判。

李謙 河南人，吏員，七年任。
孫孜 河南人，吏員，嘉靖六年任。
潘童 江西人，監生，二十一年任。（五人據題名碑，良鄉楊志）
喬木 嘉靖年任。（據題名碑）按：良鄉楊志

高仲舉 山東甯陽人，監生，正統七年任，名宦。
賈貴 山西夏縣人，成化二年任，九年遷知縣。
周同軌 南直華亭人，成化六年任，十一年遷知保定。（據保定成志）
王道 成化

永清周志）按：萬曆沈志奪。
王騏 固安人，永樂二年，主簿。主簿下十四人同。
張祥 正統十年任。
李鎬 同上。
邢英 成化五年任。
謝能 十二

，鞏昌衛人，成化七年任。
葉本盛 無爲人，十一年任。
包鍾 陝西甘州人，弘治九年任。
張鏜 山西安邑人，弘治間任，遷房山。
包汴 遼東人，十六年任。

袁恂 山東曹州人，監生。
張縉 江南江都人，吏員。
饒顯 浙江湖州人，監生。
尚好仁 山東聊城人，監生。
高瑤 陝西渭南人，清甚，勤馬政，遷知青縣。
閻席珍

年任，遷知州，詳傳。
嚴端 遷知州。
招宗順 廣東人。
董復勝 詳傳。三人正德年任。
陳元謨
鄧仲仁 並嘉靖年任。
王學 十年

楊錦四川 廣安人，監生，二十三年任。
周璘山東 曹人，貢士，弘治八年任。
尹彝山東 夏津人，監生，九年任。按：萬曆沈志奪津字，據大興張志正。
王琳山西 興人，監生，十八

蕭道浙江 山陰人，監生。
董堂浙江 秀水人，監生，嘉靖八年任。
汪大經 婺源人，監生，九年任，遷江西布政使理問。
賈沖山西 太原人，監生，十五年任，遷河南懷慶通判。

奪。
李龍山東 人，吏員，二十六年任。
怡文升 陝西人，吏員，二十八年任。
龔汝禄 湖廣人，吏員，三十一年任。
宋繼元 山西人，監生，三十二年任。

年任。
張範十年 任。
康甯十四 年任。
羅綺湖廣 衡山人，監生，弘治五年任。
趙海山東 德州人，監生，八年任。
趙鐸河南 祥符人，監生，十

二年任。
柴沅嘉靖 四年任。
魏讓九年 任。
史杲十五 年任。按：永清周志杲譌果。
丁知許 二十一年任。
李翯二十 五年任。按：永清周志翯譌翮。

李永昌 山東鄒平人，正德四年任，遷知昌黎縣。
李文陝西 榆林衛人，七年任。
羅節四川 人，十年任。
徐一勤 山東長山人，十四年任。
李時雍

湖廣棗陽人，吏員。
余鵠江西 豐城人。
劉環遼東 復州人，監生。
鄔謹江西 豐城人，監生。
朱愷江南 金壇人，吏員，嘉靖年任。
茅煒浙江 餘姚人，吏員，嘉

任。（九人據通州高志）
丁谷陽 江南江都人，吏員，十一年任。（據萬曆沈志）按：通州高志奪。
馬文翰
陳永湖廣 人，監生，遷慶陽通判。二人嘉靖中任。
趙誠陝西

年任。
侯盛 陝西 甘泉人，監生，正德六年任。
張勛 山東 肥城人，監生，九年任。
黃綸 浙江 新昌人，監生，嘉靖五年任。
靳智 河南 滑人，八年任。
李崐 河南

靳智 滑人，監生，十五年任，遷山東萊州府通判。（已上據題名碑）
何儒 十五年遷自廣東巡檢。（據野獲編十七）
宋鐸 昌平人，監生，十八年任，遷中都留守司經歷。
雍通 山東安東衛人，監生，

楊景松 遼東人，監生，三十八年任。
張時進 陝西人，吏員，三十八年任。
程輝 南直人，監生，四十年任。
錢科 河南人，吏員，四十三年任。
毛效廉

三年任。
張經 陝西 西安衛人，監生，十四年任。
劉璿 山西 五臺人，監生，十五年任。
段璽 山西 陽和衛人，十六年任。
湯瑜 山東 博興人，監生，十六年任。

李應揚 二十八年任。
李奠邦 三十年任。按：永清周志奠謌英。
賈世臣 三十二年任。
席官 三十三年任。
郜國 三十五年任。（已上據萬曆沈志）
張海 成化

河南磁州人，嘉靖四年任。
高巍 山東 濱州人，十二年任。
原宗浙 山西遼州人，十四年任。
張東銘 山東蒲臺人，十九年任。
張鴻漸 山東齊東人，二十

靖年任。
彭大慶 湖廣麻城人，吏員。
東帛 遼東 蓋州人，監生。
王許 山西 神木衛人，歲貢。
劉梯 江西 永豐人，監生。按：香河劉志梯作悌。
常述 山西

人，吏員，三十三年遷自京衛經歷。
張仁 湖廣 上津人，吏員，二十五年任。
史臣 山西 翼城人，監生，二十九年任，遷通判。
黃甲 山東 沂州人，監生。
金時翔 浙江金華人，監生

澠池人，監生，九年任，遷山西潞安通判。
侯璽 山東 諸城人，監生，十二年任，遷光祿寺署正。
包宏 山東 冠人，監生，十年任。
吴達 陝西 安定人，監生，十六年任。

二十年任，遷知湖廣竹山縣。
吴習 浙江 麗水人，監生，二十年任，遷知通州。
韓受爵 陝西乾州人，吏員，二十一年任，遷河南鄭州同知。
陳布 湖廣 臨武人，監生，二十一年任。

山東人，監生，隆慶二年任。（九人並據題名碑、良鄉楊志）
楊可材 萬曆年任。（據題名碑）
尉畏民（據良鄉楊志）
王金 萬曆年任。（據題名碑）
張滾 山東

李選 陝西 長安人，嘉靖二年任。
朱文林 河南中牟人，六年任。
張綸 山東 歷城人，八年任。
周鉞 山東 沂州人，十五年任。
彭蔦 湖廣 人，十六年任。

五年任。典史，下二十九人同。
陳旺 十二年任。（並據永清周志）
陳信 正德元年任。
仲恕 四年任。按：永清周志恕譌慈。
劉泰 八年任。
劉廣勝

四年任。
史策 山西 解州人，二十八年任。
郭魯 河南 新安人，三十一年任。
嚴應爵 湖南零陵人，三十三年任。
徐雲翔 湖廣蘄人，三十五年任。

蒲州人，監生，隆慶年任。
范汝康 山東濟甯州人，監生。
范希文 山西廣靈人，管河增隄，遷知深澤縣。
張滾 王坿道定傳。
熊誠 江西 南昌人，吏員，萬

三十九年任。
邵元善 貴州普安人，舉人，四十一年任。
汪朋 江南 婺源人，四十二年任。
喻鎮 江西 泰和人，四十三年任。
豐坊 嘉靖間任。（據首輔傳）

邵騰 通州人，監生，十七年任，遷山西沁州州同。
易廣禮 江西分宜人，監生，十八年任，遷知福建安溪縣。
李安國 通州人，監生，十八年任。
覃鑾 四川萬人，監生，二十

王仲玠 浙江甯海人，監生，二十一年任。
李安國 通州人，監生，二十四年任，遷順德通判。
王輅 陝西涇陽人，監生，二十四年任，遷知河南湯陰縣。
黃子靜 南直歙人，監生，

人，十一年任。
黎敏 （據良鄉楊志）
李璋 二人並萬曆年任。（據題名碑）
張思問
閔習成
李庚化 山西人。
孫嗣緒 山西人。（四人據良鄉楊志）

閻以仁 陝西綏德州人，十七年任。
陳誥 福建人，十七年任。
樊景明 陝西人，監生，十八年任。
徐固輿 河南人，二十一年任。按：固安陳志輿作興，今據萬曆沈志正。

嘉靖四年任。
李廷良 九年任。
李廷銳 按：永清周志奪。
常朝憲 十五年任
仲鏊 二十一年任。
王鈇 二十五年任。
張問政 二十八年任。

江一定 山東即墨人，三十七年任，遷縣尹。
趙希儒 山東武定人，四十一年後任。
華得芳 洪武三年任主簿。下四十一人同。
李鐸 天順六年任。
辛諒 八年任。

曆年任。
張汝諧 山東單人，監生。
張三才 陝西華陰人，監生，萬曆年任。（二十三人，王許據香河劉志，餘據萬曆沈志）
陳養氣 山東單人，歲貢，萬曆年任。
劉東昕

戴慶 江南寶應人，監生，隆慶元年任。
暢汝辨 山西萬泉人，貢生，五年任。
姚世英 浙江仁和人，萬曆元年任。
徐可久 河南衛輝人，舉人，三年任。
梁林 山西

一年任。
王士伸 河南郾城人，監生，二十二年遷山東莘縣。
朱希顔 崑山人，監生，二十四年任。
王仲玠 二十五年調自宛平丞。
郝楠 深澤人，二十九年任。

二十五年任，遷知湖南景陵縣。
王松 青人，監生，二十八年任。
閔道生 休甯人，監生，二十九年任，遷知廣西永浮縣。
姚階 江西峽江人，監生，三十一年任。
郭邦憲

鄭智 正德七年主簿。主簿，下四十二人同。
蘇達 山東人，監生，六年任。
王九臯 山東人，監生，十五年任。按：楊志九謁化。
張應奎 山東人，嘉靖二十

路天衢 山西安邑人，監生，二十二年任。
薛廷光 二十四年任。按：固安陳志廷作文。
趙頙 陝西人，吏員，二十五年任。
白以道 山西太谷人，二十七年任。（已上據萬

劉收 三十年任。
宋雲龍 三十二年任。
王逵 五年任。
于進周
俞鯤 鳳陽人。
李廷珍 萬曆元年任。
朱愬 二年任。

何瑛 遷丞，詳傳。
薛志 弘治七年任。
張翔 十年任。
馬安 陝西武功人，十四年任，明敏善剖決，祀名宦。
丑華 山西人，十四年任。
靳銘 山西

山東樂安人，歲貢。
仝光普 睢甯人，歲貢。
鄭永祥 江南涇人，知印。
洪應龍 江南建德人，吏員。
鄭元啟 福建福清人，吏員。
張九德

絳人，五年任。
沈載庸 五河人，貢生，七年任。
陶允宜 浙江山陰人，十一年由刑部郎中任。
任鵬 山西沁源人，十一年任。
熊烺 江西建昌人，貢生，十三年任。

王秉籌 宣城人，監生，三十年任。

楊翰 山西 甯鄉人，貢士，三十二年任，遷陝西甯州州同。

王敕 清河 人，貢士，三十二年任，遷知江西龍泉縣。

胡嶠 浙江 昌化人，監生，二

山東人，三十二年任。

李洋 山西 翼城人，監生，三十二年任。

李錦 浙江 縉雲人，監生，三十四年任，遷湖廣沔陽州同知。

施炫 浙江 縉雲人，監生，三十六年任，遷山西霍州同知。

一年任。

孟思齊 山西人，監生，二十一年任。

全魯 山西 人，監生，二十八年任。

董舉 陸安 人，吏員，三十一年任。

李鴻洲 山西人，監生，三十二年任。

曆沈志）

曹天相 江西浮梁人，監生，二十八年任。

馮賢 山東 恩人，二十九年任。

胡鯤 祁門 人，吏員，三十三年任。

王問賢 湖廣巴陵人，三十四年任。

郭標

徐大有 四年任。

文進德

殷學軻 並五年任

陳鴻謨 七年任。

曾尚貴 九年任。（已上據萬曆沈志）

張汝科 山東高密人，三十

人，弘治末任。

李彥達 山西人，正德元年任。

豹振 陝西 鳳翔人，四年任。

周鳳祥 山西人，五年任。

楊儼 山西 人，七年任。

原宗禄 七年任。

劉輝 山西

陝西青澗人，歲貢，遷知贊皇縣。

李魯儒 山東霑化人。

黃家瑞 江南人。

馬順衡 浙江人，崇禎年任。

李之杰 河南人，歲貢。

章懷仁 浙江會稽人，監生。

趙映璧 四川嘉定人，貢生，十七年任。

孫應溪 山東博興人，十九年任。

胡懌 湖廣 長陽人，貢生，二十三年任。

邵光庭 山東泰安州人，貢生，二十六年任。

郭廷皋

十五年任。汪輔湖廣蘄水人，貢士，三十六年任。程民彥南直歙人，監生，三十八年任。方大中南直宜興人，監生，四十年任。王瑷元氏人，貢生，四十五年任。

言瓛浙江山陰人，監生，三十七年任。吴正已三十八年任，詳傳。周徽浙江永康人，監生，三十八年任。彭夢祥山東費人，四十二年任。高燦四十

林大球福建人，吏員，三十八年任。張大本遼東人，監生，四十三年任。高宗仕山東定陶人，監生，隆慶二年任。（十一人據題名碑、良鄉楊志）馮懋隆慶年任。（據題名碑）

郭謐山西汾州人，三十五年任。于磐山西應州人，吏員，三十六年任。蘇應節山東靈山衛人，三十八年任。王倫河南陝人，吏員，四十年任。（八人據固安陳志）按：萬曆

沈三年任。樊敏河南靈寶人，四十一年任。陳百善天啟五年任，坿李鑑傳。侯光國山西靈石人，八年任，殉難。李時正坿高維岱傳。王世宷

人，十年任。宋璡山西平定州人，十一年任。楊東山平定人，十二年任。麥振鳳陽人，十三年任。姜潤山東人，十三年任。劉文陝西原人，十四年任。

張學譽陝西靖邊衛人，拔貢，遷南城副兵馬司。趙書河南人，都吏。周大賡江西人，監生，遷經歷。（十五人據香河劉志）馬驤成化十年任。治農主

浙江東陽人，十九年任。萬智南直宜興人，監生，三十三年任。金汝琦陝西甯羌人，貢生，三十五年任。馬可教陝西延川人，貢生，三十六年任。周之允陝西河州人，貢

黃鈁浙江嘉興人，監生，四十五年任。彭夢祥山東費人，監生，隆慶元年任。、彭大亨四川龍安州人，貢生，二年任。堵倬宜興人，監生，三年任。張才四川

三年遷自縣主簿。茅煒浙江餘姚人，知印，四十三年任。吳譜廣西宜山人，歲貢，四十五年任。潘時鍵浙江烏程人，隆慶二年任。董邵陝西隆德人，歲貢，三年任。

良鄉楊志奪。何所見（據良鄉楊志）桑紹勤萬曆年任。（據題名碑）按：良鄉楊志奪勤字。徐紳萬曆年任。（據題名碑）張國俊十一年任。（據良鄉楊志）

志奪上八人，而列郭朝等九人，其官在隆萬時。考明縣丞二，嘉靖二十六年裁管糧丞，四十二年裁管馬丞，不應隆萬時尚有職官，當依固安陳志入主簿。原勵山西遼州人，廉甚，上官檄撫民，無少怠。主簿，四十二人

山西忻州人，十六年任，甲申之變，聚衆保境，城守有功。（已上據永清周志）

徐問鳳陽人，十五年任。宋宗倫山東曹人，嘉靖四年任。馮連陝西鳳翔人，五年任。孫學禮山東人，八年任。張淪陝西慶陽人，八年任。張文山東人，九年任。

簿，後裁。（據萬曆沈志、香河劉志）楊奈山東東昌人，吏員。典史下三十六人同。彭黃河南彰德人，吏員。吳聰按：香河劉志奪。（據題名碑）白文山東萊州人，吏員。

生，四十年任。鄒存教李春芳山東萊蕪人，貢生，四十八年任。周至誠陝西靈州人，貢生，天啟元年任。管應律山東高密人，監生，四年任。黃必演江西廣昌人，貢生，

中江人，歲貢，五年任，遷雲南大理通判。
劉守憲 安州人，歲貢，六年任。
劉穩 湖廣邵陽人，監生，萬曆二年任。
李東徽 四川茂州人，恩貢，四年任。
張治本

曹從質 濬人，監生，三年任。
沈載庸 五河人，歲貢，五年任。
張思義 容城人，監生，六年任。
陸炫 上海人，監生，六年任。
李果 四川

李旂 萬曆年任。（據題名碑）
莊士表
莊達
楊逢春（三人據良鄉楊志）
姚虎 南直人。典史，下十六人同。
陳永通 景泰七年任。
薛文明

同。
樊璋 成化十年任。
王鳳 十四年任。
李福 十六年任。
杜桂 陝西平涼人，監生，二十二年任。
王聰 山東益都人，監生，弘治五年任。

蔡仁 陝西人，十一年任。
郝成 山西人，十三年任。
于塘 河南人，十六年任。
張表 山東茌平人，十七年任。
武官 山東邱人，二十年任。
徐潤 潁州人，二十一年任。

李僎 陝西盩厔人，吏員。
金應楠 江西豐城人，吏員。按：香河劉志應作廷。
張萬 陝西富平人，吏員。
龔侃 浙江上虞人，吏員。
王氾 山東海豐人，吏員。
胡中 江西

五年任，遷知沔陽州。
劉加祥 湖廣武陵人，貢生，六年任，遷山西布政司理司。
李茂根 江南當塗人，貢生，十七年任，遷鎮遠通判。
周毓文 陝西西鄉人，貢生。（三十六人據通

萬全都司，懷來衛人，選貢，四年任。

張璦 新樂人，恩貢，九年任。

韓偉 陝西涇陽人，監生，十二年任，遷河間通判。

王汝立 字成甫，江西豐城人，十四年四月遷

黔江人，歲貢，萬曆二年任。

盧可久 井陘人，歲貢，八年任。

謝天眷 貴州前衛官籍，恩貢，八年任。

閻汝乾 山西朔州人，歲貢，十二年任。

程化元 休甯人，儒士，十

山西人，吏員，嘉靖二十年任。

路永 山西人，吏員，二十一年任。

屈諫 山西人，吏員，二十八年任。

張紹忠 山西人，吏員，三十一年任。

許時恩 吏員，三十二年任。

安泰 山西廣甯人，監生，八年任。

周相 三十年任。

王慶 陝西岷州人，監生，正德十三年任。

莊釗 山西潞安人，監生，十六年任。

張起鳳 山西文水人，監生，

顏孔耀 山東人，二十四年任。

張大中 山西應州人，二十四年任。

董儒 宣府人，二十五年任。

鄭祈 山東濟寧州人，二十八年任。

關洛 山西應州人，二十九年

豐城人，吏員，嘉靖年任。

高建 陝西平陽人，吏員，嘉靖年任。

于得時 山東禹城人，吏員。按：香河劉志得作待。

龐表 江南蘇州人，吏員。

程清 江南丹陽人，吏員。

州高志）

高興 判官，下六十六人同。

方拱 按：拱通州高志作供，今據萬曆沈志。

盧大成 按：通州高志云盧泰，今據萬曆沈志。

陳讓 四人。成化年任。

趙潤

自光禄寺監事，十五年遷光禄寺署正。
黃天柱 溧水人，選貢，十五年十二月任。
盧茂 十六年遷自宛平主簿。
張元芳 詳傳。
王命賞 江西盧陵人，監生，二十年二月任。

二年任。
張兆元 浙江烏程人，例貢，十四年任，遷河間府通判。
黃維中 南直歙人，監生，十七年任。
劉鳳翔 陝西涇陽人，都吏，十七年任。
李文盛 福建龍溪人，例貢，

文棟材 湖廣人，吏員，三十五年任。
趙勲 陝西人，吏員，三十八年任。
王公慶 陝西人，吏員，四十年任。
仝仁 陝西人，吏員，四十三年任。
吴梗 浙江

嘉靖六年任。
彭芸 山東沂水人，八年任。
姜璣 山東萊陽人，監生，十六年任。
尹榮 陝西岷州人，監生，二十五年任。
王廷彦 陝西鄜州人，二十九年任。
唐時清

任。
段胤光 山東鉅野人，三十二年任。
東頤壽 陝西華州人，三十三年任。
喬文太 山西洪洞人，二十五年任。
郭杲 遼東人，三十五年任，後裁。

孫大化 山東蓬萊人，吏員。
宋廷佐 山東掖人，吏員。四人，隆慶年任。
于承業 山東諸城人，吏員，隆慶年任。
吕宦 河南靈寶人，潔甚，捕盜能，遷湖廣巡撫。

石學
廖啟鉉 江南人，監生。
林渠 福建人，舉人，由□知縣任。
李端
盧休 六人，弘治年任。
馬汝 江南徐州人，監生。
陳世傑
樊世聰

（四十九人據題名碑）
林之蘭 二十八年任。
陳紹 三十八年任。
沈佳 四十一年任。
沈自新 四十一年任。（四人據大興張志，參儒學碑）
楊文淵 洪武八年主簿。

二十一年四月任。（四十六人據題名碑）
吴守中
蔡日强
張海
高日章（四人據儒學碑）
南釗 河南人，監生，主簿，遷山東臨清州判官。主簿，下二十人同。

人，吏員，隆慶二年任。（十二人據良鄉楊志）
吉禎 隆慶年任。（據題名碑）按：良鄉楊志奪。
楊尚達（據良鄉楊志）
萬虞皐（據題名碑）
王弼 萬曆年任。

浙江餘姚人，吏員，三十八年任。
陳節 河南通許人，監生，三十八年任。
施忠 山東泰安人，監生，三十九年任。
張弘業 陝西山丹衛人，四十三年任。（已上據萬曆沈志，年分據固安陳志）

厲昌盛 天順八年任。典史，下四十五人同。
潘茂 弘治七年任。
甯英 十五年任。
趙賢 雲南人，正德元年任。
宋儒 山西人，五年任。
席鳳 河南人，八年任。

楊文立 江西南昌人，吏員，萬曆年任。
謝烈 福建南安人，吏員，萬曆年任。（二十人據萬曆沈志、香河劉志）
車崇惪 江西太和人，吏員。
曾棟 福建上杭人，吏員。
趙希舜

匡振之
姚欽 五人，嘉靖年任。
趙儒 陝西三原人，嘉靖中任，遷香河知縣。
舒中藴 廣東人，監生，嘉靖年任。
阮珊 湖廣人，二十年任。
吴聰 江南人，進士，二十四

（據儒學碑）主簿。下二十五人同。

崔永 鹽山 人，監生，宣德五年任。（據題名碑）

楊敬 景泰 二年任。（據大興張志）

王琛 山西 大同人，貢士，天順元年任。

陳瀛 浙江 餘姚人，遷知江西□縣。

李琇 山東 東昌人，監生，嘉靖五年任，遷光祿寺署正。

許東明 山東東昌人，十二年任，遷順天府經歷。

辛存惠 陝西階州人，監生，

魏仁禮 十一年任。

陸鉞

楊一貫

劉士煥 三人，萬曆年任。按：已上五人，良鄉楊志次第異，今據題名碑。

林遇春

李化鳴 （並據良鄉楊志）

史之棟

郭朝元 隆慶年任。

章甫臣 浙江人，五年任。

王盡道 山東臨清州人，萬曆二年任。

王札 山西 和順人，選貢，四年任。

劉樞 山東 鄒平人，吏員，八年任。

汪鴻 南直 人，十二年任。

盛明 山東 人，嘉靖六年任。

胡福卂 山西人，十二年任。

馬玹 涇陽 人，十四年任。

范大爵 霍州人，十七年任。

夏九皋

□□ 四川巴州人，吏員。

□□春 河南衞輝人，吏員。

顏震 龍溪 人，吏員，三十五年任。

□朝藩 龍溪人，吏員。

□□遠 江南臨淮人，吏員。

年任，遷博士。按：通州高志聰作璁，今據萬曆沈志。

張鏊 江南 鎮江人，嘉靖年任。

施天爵 江南廣德州人，監生，二十五年任。

吳仁 江南 長洲人，恩生，二十六年任。

戴澄金壇人，監生，七年任。　霍文通山西祁人，監生，正德三年任。　朱儼貴州新添衛人，監生，嘉靖十二年任。　張鴻貴池人，監生，十七年任，遷光禄寺署正。　李世節

十八年任，遷知山西武鄉縣。　錢鯉萬全人，歲貢，三十六年任。　王維問平山人，歲貢，三十三年任，遷知河南涉縣。　來端蒙浙江蕭山人，監生，三十七年任。　劉廷桂

坿黨還醇傳。　□□學陝西人，嘉靖三十三年任。驛丞，下七人同。　□世卿陝西人，三十五年任。　劉宗保山東人，三十九年任。　李世榮山西人，四十二年

孫朝臣河南盧氏人，十年任。　賈繼志山西大同右衛人，歲貢，十四年任。按：志，固安陳志作忠，今據萬曆沈志正。　王好問陝西華亭人，選貢，十七年任。　郝鐸山西

詳傳。　何貢南京人，二十五年任。　孫榮全椒人，二十七年任。　李濟山西代州人，三十一年任。　袁漢亳州人，三十四年任。　金麟浙江上虞人，三十七年任。

□喬福建大田人，吏員。　蔣泰來浙江秀水人，吏員，遷廣東肇慶府倉大使。　錢梅河南密人，承差。　許□遼東人，吏員。　錢枚浙江人，吏員。　趙有信

王仲禄陝西富平人，二十七年任。　翟堅江南涇人。　胡志忠陝西白水人。　楊以誠江西分宜人，進士。　汪希賢江西進賢人。　金球浙江

山西振武衛人，監生，十八年任，遷陝西階州判官。
郭澤 高邑人，二十三年任，遷知山東恩縣。
涂億 江西新城人，監生，二十七年任。
趙良弼 浙江山陰人，監生，三十一年任。
歸仁 江西

平山人，監生，三十九年任。
高燦 清苑人，四十一年任。
陳沛 廣東德慶人，歲貢，四十二年任。
周時謙 湖廣武岡州人，隆慶元年任，遷四川茂州通判。
何天祿 五年，遷自縣典

任。
董勤 遼東人，隆慶二年任。
劉一桂 山西人，三年任。
李實秀 萬曆十一年任。（已上據良鄉楊志）
楊其禮 坿黨還醇傳。
程世賢 山東人，嘉靖三十八年任。□□大使

襄垣人，歲貢，二十七年任。
曲中準 遼東甯中衛人，監生，二十四年任。
胡茂桐 山東武定人，二十六年任。
周世篆 四川內江人，吏員，三十三年任。
王紀 陝西涇州人，選貢，四

張緒 招遠人，四十三年任。
賈世安 大同人，隆慶五年任。
何鳳 南京人，萬曆二年任。
陳諫 蘇州人，五年任。
許節 江西臨川人，八年任。
石瓊 福建莆田人，十三年

順天人，崇禎年任。
□茂芳 陝西人。
馬元吉 陝西人。
張敍疇 福建人。
孫重枝 山西人，遷太倉州吏目。（十七人據香河劉志）

山陰人，監生。
應鑌 浙江永康人，監生。
耿介 山東人。
梁紀 山西人。
張時相 四川人。按：萬曆沈志奪相字。
侯來聘 十人。嘉靖中任。
井宏 河南

人，監生，三十五年任。
許瑶 定興人，貢士，三十八年任。
李舉 盧龍人，貢士。
徐漢 溧水人，四十五年任。
及萬言 交河人，監生，隆慶二年任。
張鎬 陝西

史。
程溱 上林苑監籍，儒士，六年任，遷綏德州通判。
石維端 福建福清人，吏員，萬曆元年任。
李崇廉 河南林人，監生，六年任，遷江甯縣丞。
盧茂 德州

下四人同。按：良鄉楊志載兩大使均闕厥職事，而萬曆沈志亦未載，姑依良鄉舊志分列之。
杜臻 山東人，四十年任。
郝臣 河南人，四十三年任。
周貴 山東人，隆慶二年任。
李梅

十年任。
熊夢祥 四十三年任。
唐之藩 江西安遠人，四十五年任。
狄文修 江南人，監生，四十七年任。
陸履新 江南宣城人，天啟二年任。
鄒一桂

任。
葉應詔 浙江山陰人，十七年任，遷□□巡檢。
徐廷節 南直青陽人，二十年任，歸順州吏目。
祁天相 浙江紹興人，二十四年任。
魯廷實

洛陽人，四十二年任。按：通州高志列侯前，今據萬曆沈志。
路進忠 陝西富平人，隆慶元年任。
吉大用 陝西耀州人，四年任。
陸通江 山西蔚州人，貢生，五年任。按：萬

汧陽人，歲貢，五年任。
孫鈳　浙江餘姚人，監生，萬曆二年任。
孫似祖　浙江長興人，貢生，四年任。
任可賢　四川通江人，選貢，七年任。
朱世賢　江都人，監生，十

左衛人，例貢，十三年任，遷大興縣丞。
張與齡　太倉州人，知印，十六年任。
劉諧　浙江山陰人，吏員，二十年任。（十九人據題名碑）
楊進　十四一年主簿。（據宛平王志）

劉縉　山西人，嘉靖四十年任。□□大使。下四人同。
孫保　山東人，四十一年任。
曹滕　河南人，隆慶元年任。
孫表　二年任。
張嵬　萬曆十一年任。（已上據良鄉楊志）

江南定遠人，吏員，四年任。
孫櫟　山西人，歲貢，六年任。
王業潤　浙江山陰人，吏員，崇禎二年任。
李啟生　江南靈璧人，三年任。
周思義　浙江歸安人，五年

浙江山陰人，十七年任。
張默　山東東阿人，三十年任。
劉良臣　湖廣巴陵人，三十三年任，遷建昌營大使。
張諄　陝西渭南人，三十七年任。
江起龍

曆沈志奪江字。
查德　江南涇人，監生，六年任。
葉德恭　浙江遂昌人，貢生，萬曆二年任。
李承寵
韓守默
張士元　六年任。
王觀光　河南人，監生，十

三年遷自光祿寺監事。

徐守仁 浙江永康人，吏員，十七年十二月遷自兵部會同館大使。

郭維禎 福建漳浦人，吏員，二十一年四月任。（二十一人據題名碑）

熊僑 十四

傅之墉 （據萬曆畢懋康學田記）

楊琰 景泰年典史。（據宛平王志）典史，下二十人同。

顏虎 陝西華州人，吏員，嘉靖十六年任。

宋寵 山東曹人，吏員，二十六年任，遷長洲縣

任。

詹啟昌 福建晉江人，七年任。

吳夢麟 陝西榆林衛人，選貢，九年任。

童復賢 河南彰德人，貢生。

梁煥 正德九年任。河甯巡檢，下十人同。

江西吉安人，四十年任。

汪必達 江西南昌人，四十三年任。

彭廷官 江西永新人，四十五年任。

黃家棟 福建莆田人，四十七年任。

狄用禮 溧陽人，四十八年

年任。

汪存照 江南歙人，十二年任。

謝秉忠 浙江餘姚人，官生，十七年任。

周治 按：通州高志奪，今據萬曆沈志補。沈志以此居末，據知當在謝後。

張澈 浙江

一年任。（據大興張志儒學碑）王利用（據儒學碑）郭錡山東博野人，貢士，正統年任。典史，下二十二人同。吳興任邱人，正統元年任。董斌河南光山人，四年任。鮑瑾睢甯

主簿。施文甯國人，吏員，三十年任，遷江西宜黃主簿。按：萬曆沈志，三下奪十字，據宛平王志補。沙潮浙江錢塘人，吏員，三十年任，遷寶坻主簿。鄭蔙福建莆田人，吏員，三

甄聰正德十二年任。劉機十六年任。羅宿嘉靖十年任。張文憲山西人，吏員，十三年任。韓釜山東魚臺人，吏員，二十年任。成鳳儀

遷倉大使。常應時山西蒲州人，天啟元年任。陳三策南直合肥人，三年任。陳三豪福建福清人，五年任，政有聲。杜其弊陝西人，崇禎元年任。

錢塘人，二十六年任。沈應順二十八年任。姚日旭河南延津人，三十年任。程鵬遼東人，貢生，三十年任。張廉德江南東流人，三十三年任。

人，十年任。

朱得華　浙江鄞人，吏員，景泰五年任。

衡世甯　山西夏人，吏員，嘉靖十五年任。

余槐　浙江　慈谿人，吏員，十八年任，遷河南光山縣主簿。

虞珍　浙江　龍游人，吏員，二

十八年任。

嚴邦顯　浙江餘姚人，吏員，三十九年任。

劉應光　福建莆田人，吏員，四十四年任。

翁世賢　陝西河州人，吏員，隆慶三年任。

何天禄　浙江於潛人，吏員，三年任，遷縣主

山東博平人，吏員，二十五年任。

鮑思恭　山東長山人，吏員，二十八年任。

方經　陝西　涇陽人，吏員，三十年任。

梁朝　陝西　隴西人，吏員，三十一年任。

孫思仁　山東長山人，吏員

路自純　山西人，六年任，絶賄，善捕盜。

吉庚　山西　人，九年任。

柴希貢　山西人，九年任，俸外不受一錢。

許之蛟　南直人，十一年任。

刁昭漢　山東鄒平人，十三

程大猷　四川江津人，三十四年任，遷濱州州同。

李芳隆　江南青陽人，三十五年任。

王廷相　浙江山陰人，三十六年任。

吴之臣　江南和州人，三十九年任。

十五年任，遷福建松溪縣主簿。　王[illegible] 宿遷人。　岑德容 浙江餘姚人，吏員。　趙繼成 浙江新城人，吏員，四十年任。　張天壽 山西蔚州人，吏員，隆慶三年任。
簿。　畢大縉 鳳陽人，吏員，五年任。　沙相 浙江錢塘人，吏員，萬曆二年任。（據野獲編五）　季寵 長洲人，吏員，五年任。　孫士綱 山東新城人，吏
三十五年任。（已上據固安陳志）　黃卍 典史。下四十九人同。　曹卍 成化十四年任。　甘潤 十八年任。　郭騫 山西高平人，吏員，二十二年任。　任瑞 山西河津人，吏員，弘
年任。　張鳳化 陝西富平人，十四年任。　吳從仁 山西人。（已上據東安李志）
閔濟美 江南當塗人，四十年任。　詹萬謀 江西臨川人，四十年任。　趙國華 江西南昌人，四十二年任。　周文輝 廣東增城人，四十三年任。　孫瑄 山東

嚴宗直浙江餘姚人，吏員，六年四月任。
韋世懋廣西宣化人，吏員，萬曆三年三月任。
史中誠湖廣長沙人，吏員，五年十二月任。
張楫江西南昌人，吏員，七年七月任。

員，八年任。
葛廷才湖廣澧州人，吏員，十三年任。
翟可義丹徒人，吏員，十四年任，遷高密縣主簿。
孟桐臨淮人，吏員，十六年任，遷欒城主簿。
方樂舜績溪人，吏員，十

治八年任。
馮振三十年任。
史賢河南孟津人，吏員，正德元年任。
張綸山東濱州人，吏員，八年任。
張唐陝西三原人，吏員，十二年任。
劉恩廣東

范人，四十八年任，遷知□縣。
何若鸞山東登州人，貢生，天啟初任，遷咸安推官。
凌起祥浙江烏程人，貢生，七年任。
孟養浩陝西靈臺人，崇禎二年任。
胡志行

何元俊江西貴溪人，吏員，考中，八年十二月任。

余寵江西豐城人，吏員，十一年任。

傅爲鹽大名人，承差，十二年任，遷山東武城縣甲馬營巡檢。

樊元相南直長洲人，吏

九年任。

徐應龍吏員，二十一年任。（十八人據題名碑）

陳二典三十八年任。

郭宗禹四十一年任。（二人據宛平王志）

人，吏員，十六年任。

姜裕滁州人，吏員，嘉靖四年任。

孫弘浙江太平人，吏員，十六年任。

黃璲四川人，吏員，嘉靖二十三年任。

朱瑤南直徐州人，吏員，二

浙江遂安人，貢生，四年任，遷知廣恩縣。

陸一桂陝西甘州人，貢生，六年任，遷知萬全縣。

周珮河南安陽人，貢生。（六十六人均據通州高志）

賈志成化年吏目。吏目，下

員，十六年十二月任。

彭國相 江西泰和人，吏員，二十年四月任。（二十一人據題名碑）

劉君璽 萬曆年任。

田士葵 四十一年任。（二人據大興張志）

十九年任。（已上據固安陳志）

朱珪

陳憲

趙大寶（三人據萬曆沈志）

李經 河南新野人，吏員，三十五年任。

董奈 河南胙城人，吏員，三十九年任。

葛漢 宣城

四十八人同。

梅宣 山西威德衛人，弘治年任。

梁忠 山東人。

姬麒 並正德年任。按：通州高志麒作麟，今據萬曆沈志。

張奇 山西人，監生，嘉靖年任。（據通州高志）

人，吏員，四十二年任。
胡道源　安徽祁門人，吏員，萬曆元年任。
周光棟　浙江黃巖人，三年任。（五人據固安陳志）
蔣賢
張仲禮
孫維屏
芮學易

張欒　山東人，監生。
趙孟　山西人。
汪相　江南貴池人，監生。
王來問
惠心　河南陳州人，監生。
喬應武　陝西成人，監生。（六人據萬曆沈志）
郝璧　陝西

（四人據萬曆沈志）

林一鳳 萬曆七年任。（據固安陳志）

曾子翰

曹仲川 十一年任。（二人據萬曆沈志）

林學曾 十六年任。

周安民 陝西人，吏員，二十二年任。

人。

馮廷璞 廣東南海人。

任龍 河南鈞州人。

韓邦傑 山東膠州人，監生。

張守業 山西蔚州人。

郭汝翼 山西隰州人。十二人嘉靖年任。

朱元善 二十四年任。

徐可通 山東臨清人，吏員，二十七年任。

陳誥 山東濟南人，吏員，三十年任。

李奎光 河南汝陽人，吏員，三十九年任。

陳明典 廣東人，吏員，三

李貴 山東館陶人，隆慶元年任。

孫應詔 山東人，監生，五年任。

王一麟 山東曹人，萬曆二年任。

李應詔 山西高平人，監生，五年任。

李標 江南

十四年任。

方來宣 湖廣黄岡人，吏員，四十五年任。

李士林 湖廣人，吏員，四十二年任。

王如璧 浙江紹興人，吏員，四十七年任。

朱廷恩 浙江人，吏員，四十七年任。

青陽人，九年任。

周希濂 山西太原人。

邊鑰 山西大同人，十四年任。

葛汝潤 江南甯國人，十七年任。

馬一鵬 山東費人，十八年任。（十五人據通州高志）

牟經邦 山東霑化人，吏員，天啟元年任。 朱學曾 浙江諸暨人，吏員，五年任。 張伯忠 浙江人，吏員，四年任。 史臣頌 山東歷城人，吏員，六年任。 俞伯珠
吳景行 遼東人，十九年任。（據萬曆沈志） 陶大典 浙江會稽人，二十二年任。 吳用周 江南桐城人，儒士，二十四年任。 張然 河南太康人，二十六年任。 童豫 浙江

浙江義烏人，吏員，崇禎元年任。

韓三奇 山西高平人，吏員，三年任。

施大延 浙江永康人，吏員，五年任。

金世燮 浙江義烏人，吏□，七年任。

陳啟軒 河南開封人，吏員，

會稽人，二十八年任。

萬民望 江南懷遠人，三十年任。

嚴炳 浙江錢塘人，三十三年任。

陸世遷 江南江甯人，三十六年任。

帥天縱 江西建昌人，三十

十二年任。

劉有漸 湖廣麻城人，吏員。國朝遷知縣事。（已上據固安陳志）

八年任。

李一松 山西霍州人，四十年任。

秦應斗 江南合肥人，四十三年任。

楊廷啟 湖廣人，四十五年任。

孫承祉 山東人，四十七年任。

陳經緯 河南人，天啟元年任。

章應元 浙江人，三年任。

高可超

苻加祐 浙江人，六年任。

郝茂 山西人，監生，崇禎元年任。

車士歷 浙江人，三年任。

楊維相 山東人，四年任。

李永廣 陝西人，五年任。

石之章（二十一人據通州高志）

華陽吴祖椿校

德清傅雲龍纂　江陰繆荃孫覆輯

官師志七

前代州縣表三下

	漢
漷縣知縣	
三河知縣	
武清知縣	孫根　雍奴令，先施博愛，威而不猛，仕至安平相。（據隸釋孫根碑）
寶坻知縣	
昌平知州	
順義知縣	王梁　狐奴令，詳傳。
密雲知縣	按：密雲周志載，吳漢安樂令，誤，安樂當入通州表。
懷柔知縣	

隋	唐
	周珪 三河縣令。（據王紳周氏墓石）
王伽 河間章武人，開皇末，齊州參軍，擢雍奴令，有能名。（據隋書列傳）按：萬曆沈志名宦立傳，而不及雍奴一語，武清蔡志刪之，尤謬。	鄭羅漢 雍奴令，詳傳。
	周居隱 昌平縣令，時契丹圍燕城。（據韓運靈基經後序）
	張秀 張允伸曾祖，檀州刺史。（據舊書張允伸傳）

五代	宋
王在思 順州刺史，後唐天祐二年，周德威攻下，獲之。（據舊五代史莊宗紀） 陳審確 仕後唐至晉，歷順州刺史。（據宋史陳思讓傳）	梁迥 博州聊城人，太祖以監霸州兵，江南平，以功領順州團練使。

（據宋史列傳）

石保興 字光裔，本名保正，太祖改之，開封浚儀人，開寶中領順州刺史。（據宋史列傳）

李繼福 順州刺史。（據宋史李繼周傳）

厮敦 曹偉表爲順州刺史。（據宋史曹彬傳）

耿全斌

冀州信都人，端拱初，轉散直都虞候，領順州刺史。（據宋史傳）

周審玉

開封人，淳化中，以功領順州刺史。（據宋史傳）

周仁美

至道初，龍衛軍都指揮使，領順州刺史。（據宋史傳）

裴濟 字仲溥，絳州聞喜人，咸平初，領順州團練使。（據宋史傳）

許均 開封人，咸平初，東西班都虞候，領順州刺史。（據宋史傳）

蔚昭敏 字仲明，開封祥符人，咸平四年，領

金	遼	
	郭汝梅 攝行漷陰縣事，詳先賢傳。	
蒲察和泰 五年任。（據三河陳	劉瑶 乾統三年，知三河縣，修廟學。（據乾统重修廟記）	
	張益 聖宗時，知武清縣，崇儒，入名宦。	
王裞 詳傳。		
唐古卓 克索巴		順州刺史。（據宋史傳） 李繼恂 大中祥符二年，順州刺史。（據宋史李處耘傳）
	張素羽 重熙八年，知檀州軍事。（據密雲丁志）	

	元
志）	劉瑞安 縣人，至元二年，三河縣尹，遷薊州同知。（據三河陳志） 劉鐸 元貞二年，三河縣尹。
	李端 武清縣尹。（據東嶽行宮碑陰）按：碑題名前任，本任據知在至元年前。 阿昔 至元五年，任武清縣達
完顏霆 本姓李氏，寶坻人，貞祐初，遙授寶坻縣丞，遷三階，攝寶坻令，陞都提控。（據金史列傳）	黑斯彥明 至正十年，寶坻縣達嚕噶齊。（據鄭憲重修孔子廟記） 曹居仁 寶坻縣尹。（據同上）
	丑斯 至元二年，達嚕噶齊，修學宮。（據昌平宋志）達嚕噶齊，下二人同。 木忽里 大德四年任。
原作唐括直思白，泰和八年正月，順州刺史，唐古卓克索巴坐私議朝政，杖之。（據金史章宗紀）	托剌台 至元三年丙寅，達嚕噶齊。 王汝楫 至元三年，知順州。（二人據梁宜順州廟學記）
	拉旺 襲檀州節度使。（據元蕭拜珠傳） 哈喇特穆爾 少事裕宗，仕爲檀州知州，謚康惠。

（據王約重建三河講堂記）

脫脫　泰定元年，知縣事，官至右丞相。

張佑　泰定年，知縣。

趙由中　元統年，縣人，知縣。

張塘　東山濟南人，至正年，知縣，勸農弭盜，

魯花赤。（據東嶽行宮碑陰）

張德英　遙授同知應州知州事，兼行武清縣尹。（據東嶽行宮碑陰）

倪仲英　權武清縣。（據東嶽行宮碑陰）

朶羅禿　至順四年任。

埜仙不花，知縣，至元二年任。知縣，下三人同。

王敬　大德四年任。

孫居仁　至順四年任。

郄仲義　嬀川人，至正元年，昌平縣尹。

郭幹　至元八年辛未，知順州。

郭伯達　順州達嚕噶齊。（二人據同上）

李讓　至元十八年，順州尹，創驛館。（據梁宜順州公廨記）

孫惟孝　至正八年，由常德推官爲順州尹，重

（據元史蕭拜珠傳）

楊璉　至元二十八年，知檀州，修學宮，祀名宦。（據元王思誠文廟碑記）

聶守節　字用之，至正六年，知檀州，修學宮。（據王思誠文廟碑記）

蕭拜珠　契丹舒穆嚕氏，從

明	
黃宗信 洪武初，知漷州。（據通州高志）	
楊蕃 山東 長清人，洪武年任，入名宦。（據三河	儲穀修學。（已上據三河陳志）
謝榮 洪武 年任。 趙宗章	
荆志 詳傳 。 何文信	
許好問 浙江人，洪武十年任，廉且惠，考最，	（已上據昌平舊志）
朱暹 崑陵 人，正統年，知順義縣。按：前爲	修學廡。（據順義黃志、張損廟學記） 梁宜 知順 州。（據廟學記） 寄章 達嚕 噶齊。（據廟學碑） 喜柏篤 琜。同上
唐忠 安徽 含山人，洪武五年任，廉且惠。	成宗北征，特授檀州知州。（據元史傳）
邵元亨 詳傳。 師泰 河南	

按：州，洪武年改縣。　王文　字伊章，河南儀封人，正統間任。（據通州高志）灤縣知縣，下六十二人同。　陳清　賀登　賈貞　詳傳。三人，天順年任。按：萬曆沈志奪賈上二人。

陳志）　夏子韶　永樂年任。　孫理　正統年任。　盧毅　景泰年任。　吳賢　詳傳。　張鳴鳳　進士。　閻山　山西人，舉人。

洪武年任，修學校壇社。　蔣庸　永樂年任。　張鑑　成化年任，修學校。（據武清吳志）　韓倫　朝邑人，成化間任，有政聲，蝗不害禾。（據畿輔唐志）　郭良　河南舞陽人，監生，善

坿荊志傳。　薛鵬飛　洪武年任，修學宮。　魏懋　山東人，修縣治。（已上二人據寶坻洪志）　孫源　趙其　二人，正統年任。　董倫　陝西人。　李寬　二

遷山西參議。（據畿輔唐志）知縣，下八人同。　徐士金　十七年任。　顧亮　永樂元年任。　劉思義　正統十二年任。　李甯　景泰五年任。　王震　成化十六年任。

州，明改縣。　朱全　遼東人。（二人據萬曆沈志）　徐晟　河南歸德人，天順末任，有德政，成化三年，遷知薊州，民立碑。（據順義黃志）　李瑾　山東人。　胡寬

（據密雲薛志）按：畿輔唐志入名宦。　謝希文　十一年任，修縣治。　張鏜　正統五年任。　張琪　弘治七年任。　李彥成　弘治十七年任。　高賢　山西人，正德元年任。

武陟人，監生，成化年任。　夏勳　詳傳。　張毓　山東臨邑人，監生，成化年任。　劉淮　河南祥符人，成化年任。　杜誠　山西太平人，舉人，弘治年任。

高安 詳傳。
陰縉 河南滎陽人，弘治九年任，舉廢興學，遷知曹州。（據通州高志名宦傳）
傅傑 祀名宦。
張翕
鄭仲貞
劉琳 河南人。

楊霆 山西人，舉人。三人，弘治年任。
任濟 正德年任。
郭寅 正德十年，遷自三河縣丞。
王輗 山東人，監生，正德十五年任。
陳皋謨 振武衛人，進士，撫字，祀名宦。

翟銘 河南魯山人，舉人，弘治十一年任，十七年，調知新和縣。
陳希文 廣東南海人，正德年任，築城捍賊，民頌其功。
時世隆 山東臨清人，正德五年任。
孫錫 山東人，景泰年任。

黃通 南直江浦人。
彭鎬 詳傳。
陳讓 詳傳。
葉琪 詳傳。
齊鳳 山東德州人，成化中任。
李介 南直

董時 大同右衛人，舉人，弘治十五年任。
王材 江南人，進士，十七年任。
潘瑜 正德五年任。
閻鎧 知州，正德二年，以保定同知署州事。知州，下五十二人同。

孟霽
李光 四人成化年任。（據萬曆沈志）
宣文 弘治十七年任。（據順義黃志）
孫祿 正德十年任。
雷有暘 四川宜賓人，嘉靖二年任。
馬驎 咸寧

邢良 河南人，二年任，絕賄寬逋，讞獄平。
尹懋 陝西人，八年任。
王璧 山西人，九年任。
馮繼祖 陝西人，十一年任。
閻旗 山東人，十三年任。
崔良相

劉一貞 山東肥城人，舉人，正德年任。
汪鸞
高第
李三長
黃謚 河南汝寧人，舉人，嘉靖二十九年任。
仇熠 山西長治人，舉人，二十九年任。
李士元

師文 詳傳。
王宣 山西大同人。
岳秀
郝良 修縣志。
張雲漢 十人弘治年任。
郭梅 山西定襄人，正德元年任，築縣土城。按：萬曆沈志奪。

，嘉靖年任，遷給事中。
孫廷相 陝西人，進士，嘉靖年任，遷户部主事。
蔡烈 江西人，監生嘉靖十年任。
張守介 陝西雒人，舉人，十三年任。
鮑德 山西

海豐人，七年任。
劉朗 河南武陽人，九年任，調知安肅縣。按：萬曆沈志朗謫郎，據武清吳志正。
祁倫 山西高平人，十一年任，降雲南太和縣丞。
徐來鳳 浙江德清人，十一

清河人，成化中任，以廉介稱。
丁志 南直臨淮人，監生。
楊霖 浙江嘉善人，舉人。
馬驥 南直休甯人，舉人。
袁昂 詳傳。
武尚信 北直磁州人，成化年，舉人，弘治九

張守 陝西涇陽人，舉人，八年任。
閻祺 山東招遠人，舉人，十一年任。
張繼芳 山東博興人，舉人，十三年任。
孟宗孔 河南人，舉人，嘉靖二年任。
李宗 山東

人，八年任，調山西黎城。（三人據順義黃志）
王利 山東陽信人，九年任。按：三人皆嘉靖年任，萬曆沈志云正德年，非也。
馬澍 嘉靖年任。（據萬曆沈志）
張永昌 山西代州人，十六

山東人，十五年任。
蔣清 南直含山人，嘉靖元年任。
張淮 河南人，三年任。
孫塘 河南人，四年任。
朱鳳儀 山東人，八年任，萬曆六年，從知縣張士則請，祀名宦。

山西保德州人，舉人，二十二年任。
劉鐖 詳傳。
象希夔 山西人，貢士，三十六年任。
許守 南直金壇人，三十九年任。
張崇謙 山西蒲州人，舉人，四十年任。

曹琰 陝西 葭州人，嘉靖三年任，修縣治，遷大名通判。
楊濟 山西 石州人，十年任，遷慶陽通判。
孟澤 山西 石州人，舉人，十七年任。
饒公 八十年任。
馬新民

人，舉人，十五年任，遷知□州。
姚欽 遼東 人，監生，十八年任。
王相 山東 人，監生，十九年任。
申珙 陝西 神木人，監生，二十年任。
王元德 山東招遠人，監生，

年任。
李廷鵬 詳傳。
曹錡 安徽 望江人，十六年任，嘉靖二年降沅州判官。
郭玹 山西 蔚州人，二年任，建城南門，調知河南考城縣。
朱祿 山東 魚臺人，舉人，五

年任，修學宮，祀名宦。（據寶坻洪志、費宏孔廟記）
莊禪 詳傳。
陳文滔 福建 福建莆田人，進士，弘治間任。（據寶坻洪志）
佟鉞 山西 人，進士，弘治年任。
周程 山東

諸城人，舉人，五年任。
高道 山西 蔚州人，舉人，七年任。
高仁 福建 人，進士，九年任。
武旻 山西 大同右衛人，歲貢監生，十一年任，在任七年，多惠政及民，遷兩淮運

年任。
陳倫 貢士 ，十八年任。
李體仁 貢士，二十年任。
夏欽 遼東 金州人，貢士，二十一年任。四人。（據順義黃志）
王乾元 蒞官嚴正，祀名宦。
胡美 河南

尹天民 山東人，十年任。
劉九思 南直贛榆人，十年任。
馬林 湖廣 人，十八年任。
楊璘 江西 人，二十年任。
袁膺薦 浙江人，二十二年任。

李復性 廣西馬平人，舉人，四十二年任。
朱繼立 河南羅山人，舉人，四十五年任。
蔡孔泮 山東德州人，舉人，隆慶元年任。
郭居易 山東膠州人，舉人，四年任。
董五禮

江南揚州人，監生，二十年，調自河南長葛，修縣治。

李時用　六年，調自武清。

梁相　廣東　番禺人，二十七年任，調武清。

尚應時　陝西　陝西同州人，二十九年任。

呂哲　陝西　麟游人，舉人，三

二十二年任。

姚相　南直　人，監生，三十年任。按：三河陳志云，姚相南，蓋誤以南直之南連名耳，今據萬曆沈志正。

張仁　山東　平原人，舉人，嘉靖年任。

曹科　山西　甯武人，進士，嘉

年任，降宿遷教諭。

王琳　山西　樂平人，七年任。

孫隆　山東　范人，八年任，嚴明剛介，民永懷之。（據畿輔唐志）

宋霓　河南　確山人，監生，十三年任。

趙公輔　江西進賢人，舉人，

歷城人，舉人。

王璲　山西　忻州人，舉人，遷知□州。按：寶坻洪志，璲作燧，今依萬曆沈志。

周在　詳傳。

霍淮　山西　平定人，舉人，遷□□同知。

楚書　陝西　甯夏人，嘉靖初

副。

邢永良　山西人，舉人，十八年任，病去。

牛兆祥　陝西武功人，舉人，二十年任。

賀榮　山西　人，舉人，二十三年任，性行端潔，才猷清雅，以陵工遷户部員外郎。

蔣經　浙江

安陽人，貢士，二十七年任。（據萬曆沈志）

王恆　自霸州州判遷，詳霸州表。

楊裹　四川　酆都人，貢士，三十四年任。

傅夢錦　山東甯海人，貢士，三十六年任。（二人據順義黃志）

陳秉綱　廣西人，二十六年任。

徐麟　福建　人，二十九年任。

胡景暘　河南人，三十年任。

張衷　湖廣　人，三十四年任。

徐輪　陝西　人，三十六年任。

江東　山東

山西平定州人，舉人，萬曆三年任。按：文安楊志，改官文安教諭。

趙坰　坿賈濬傳。

龐鳳鳴　山西屯留人，舉人，八年任。

王三益　山東威海衛人，選貢，十三年任。

王爾楫

十五年任，調良鄉。
尉思 山東人，監生，三十七年任。
魏文瑞 廣西人，舉人，三十八年任。
陳言 四川成都人，監生，四十年任。
劉朝舉 陝西人，監生，四

靖年任。
葉桓 揚州人，監生，三十六年任。按：桓，三河陳志作恆，今據萬曆沈志改。
魏體乾 山西人，舉人，三十九年任，遷知高郵縣。按：三河陳志云，乾舊志作謙，是其作乾，必有所據，萬曆沈志

十六年任。
王大章 陝西人，十八年任。
黃世隆 河南蘭陽人，舉人，二十年任。
沈文冕 廣東南海人，舉人，二十二年任，二十三年，改常州府教授。
郭津 山東

任。
單希性 山西太原人，舉人。
張元相 陝西三原人，舉人，嘉靖年任，建啟聖祠。
武德智 詳傳。
柳鸞 四川人，舉人。
蕭欒 湖南

人，舉人，二十四年任。
蔡椿 奉天人，舉人，二十五年任。
劉東 河南扶溝人，舉人，二十七年任。
蕭文明 江西人，舉人，二十八年任。
秦璠 陝西鳳翔人，舉人，二

按：萬曆沈志奪已上三人。
王守身 山東萊蕪人，舉人，三十八年任。
宋良相 山東人，舉人，四十二年任。（二人據同上）
都温 河南河內人，舉人，四十三年任。（據萬曆沈志）

人，三十八年任。
邢元徹 四川人，四十三年任。
許希孟 河南人，隆慶二年任。
賈廉 河南人，二年任。
張思正 河南汝陽人，四年任。
邢玠 五年

陝西岷州衛人，選貢，十四年任。
賈濬 詳傳。
蔣守浩 廣西全州人，舉人，二十一年任，修學鑿泮池。
杜津 河南扶溝人，舉人，二十六年任。
史國典 詳傳。

十一年任。李成 湖廣江陵人，舉人，四十二年任，遷知灤州。王登 陝西長安人，舉人，四十四年任，加涿州知州銜，管縣事。邵致誥 遼東衛人，舉人，隆慶三年任。李子耀

奪下一字。劉文彬 山西人，舉人，四十二年任。崔嶼 山西人，舉人，四十五年任。賽從儉 山東人，監生，隆慶元年任。劉黻 山西人，舉人，二年任，遷通判。

濟甯人，舉人，二十三年任。李時用 河南登封人，監生，二十五年任，二十六年，調知灤縣。按：用，蔡志沿吳志譌川。梁相 自灤縣遷，詳灤縣表。雷鳴 山西陽曲人，三十一年任。

甯鄉人，監生。按：寶坻洪志欒作鸞，今據萬曆沈志。孫宗器 浙江蕭山人，舉人。（已上據萬曆沈志）李行簡 陝西乾州人，舉人，官至太僕寺。按：簡，萬曆沈志作間，今依寶坻洪志。

十年任。都一陽 山西人，舉人，三十一年任。衛佃 山西臨晉人，舉人，三十三年任，負性剛猛，誤打供祀人役，削秩。原森 山西榆次人，舉人，三十五年任，節省民財，甘處澹薄，不

按：順義黃志都作柳。閻繼芳 山西祁人，貢士，四十四年任。谷欽 山西天成人，貢士，四十五年任。周軾 南直通州人，貢士，隆慶元年任。（三人據順義黃志）盧漸 浙江

任，坿張世則傳。張世則 詳傳。（已上三十三人據萬曆沈志、密雲薛志）徐光前 山東新泰人，進士，萬曆七年任，八年去，三十八年復任，故事民地三頃養一馬，民苦之，光前力請得九頃養一。（據密雲薛志）

黃一化 南直甯國人，三十四年任。張文光 陝西興安州人，舉人，三十九年任。王天運 河南孟人，恩貢，四十年任。李文聰 山西翼城人，舉人，四十三年任。唐世輔

山東平度州人，舉人，萬曆二年任。

宋祉 河南許州人，舉人，萬曆五年任，遷知均州。

郭九疇 山西代州人，舉人，十二年任。

于濟 遼東蓋州衛人，貢生，十四年任。

趙廷儼

張綸 詳傳。

衛生 山西人，舉人，萬曆三年任。

史學 遼東人，舉人，八年任。

賀逢吉 山東人，恩貢，九年任，丁憂。（已上據三河陳志）按：萬曆沈志奪

羅康 浙江上虞人，舉人，三十二年任。（已上據萬曆沈志、武清吳志）

李廷芳 字石江，廣西宜山人，舉人，三十五年任。（據王維垣城隍廟碑記）

張錦 應天句容人，舉人，三十九年任。

楊元益 山西人，舉人。（據寶坻洪志）按：萬曆沈志奪。

趙師道 平陸人，舉人，遷□□通判。（據萬曆沈志）

孫惟謙 詳傳。

都一陽 山西陵川人，舉人，遷知□州。（據

畏豪强，堅持情操，以憂去。

王近思 山東曹人，舉人，四十年任。

曹光神 陝西臨潼人，舉人，四十三年任。

張廷弼 山西蒲州人，舉人，四十四年任，以陵工陞工部虞衡司員外郎。

鄞人，進士，二年任。

曹惟彩 陝西平涼人，舉人，四年任。按：萬曆沈志彩作新。（據順義黃志）

范啟光 左遷自霸州知州，詳霸州表。

馮元 陝西府谷人，舉人，萬曆五年任，廉且明，

趙坰 山東萊陽人，歲貢，萬曆八年任。

衛民望 山西翼城人，舉人，十一年任。

田勸 潁州人，進士，十二年任，遷户部主事。

王明 山西解州人，進士，十五年任，官至山東道監察御史。（五

廣西灌陽人，舉人，四十四年任。

林禹門 南直吳人，舉人，四十七年任。

荆可楨 山西蒲州人，舉人，四十八年任。

柳茂林 河南新城人，恩貢，天啟四年任。

周道洽 陝西臨潼人，恩貢，

山西岳陽人，貢生，十六年任。
王邦禮 山東長山人，舉人，十八年任，建縣治。
魏之幹 山西武鄉人，舉人，二十一年任，調良鄉。按：萬曆沈志，瀿縣知縣止此。
胡績 江西

楊蕃任濟。
任甫 萬曆年任。（據萬曆沈志）
張鵬翔 湖廣人，舉人，十年任。（據三河陳志）
王自謹 河南洧州人，恩貢，萬曆年任，愛民甚，修志，三河陳志入賢員。

黑文耀 湖廣常德衛人，舉人，三十九年任。
雷世榮 陝西同州人，監生，四十一年任。
趙本 陝西人，舉人，四十二年任，重修學校。
劉朝舉 陝西人，監生，四十二年任。
徐可觀

萬曆沈志）
劉廓 坻胡與之傳。按：廓壽光人，萬曆沈志，以壽字連名，誤。
盛時春 南直上元人，舉人，官至寺丞。
胡與之 詳傳。
劉以穩 江西南昌人，監生。（據寶坻洪志）

高尚仁 河南新蔡人，舉人，隆慶二年任。
傅執中 陝西漢中人，舉人，六年任。
葛承嗣
牛若虛 河南祥符人，舉人，萬曆二年任。
桂承胤 河南祥符人，舉人，七年任，以陵工

十年遷知四川綿州。
樊盛 陝西洋縣人，舉人，萬曆十年，調自四川遂甯，遷知澧州。
崔淳 山東人，十一年任，廉且能，遷知昌平州，名宦。
劉撫魯 山東齊東人，貢士，十五年任，十八

人據密雲薛志）
楊士鴻 山東禹城人，進士，十七年任，二十年立題名碑，官至刑科給事中。（據萬曆沈志、密雲薛志、焦竑知縣題名記）
康丕揚 二十二年，調自寶坻，隨兵備王見賓立白檀書院，集諸生說經，官至陝西

崇禎二年任。
趙祝 山西臨人，恩貢，三年任。
劉躍龍 詳傳。
朱某 七年任。
沈夢鯨 十二年任。
郭浩 十四年任。（已上據懷柔吳志）

豐城人，舉人，二十三年任，調欒亭。
李汝祥 江西瑞昌人，舉人，二十六年任。
張桂 山東 臨朐人，貢生，二十八年任。
陸世勣 江南邳州人，舉人，三十年任。
霍梓 山西

王加棟 萬曆年任。（據萬曆沈志）
袁志夔 湖廣人，舉人，萬曆年任，遷□□同知。
王國昌 雲南人，選貢，萬曆年任。
謝陞 山東 德州人，萬曆年任，升遵化州。

河南汲人，舉人，四十二年任，四十五年遷知平度州。
姜湧 安徽 蒙城人，舉人，四十五年任。
衛陽和 河南汲人，舉人，隆慶二年任。
段雲鴻 雲南人，舉人，三年任。
張鵬 山西

王固 山東 平度州人，監生。按：萬曆沈志，以平度之平連名，非也。寶坻洪志固譌囿，今互正。
楊時芳 山西猗氏人，舉人，遷□□通判。（據寶坻洪志）
唐錬 詳傳。
潘民模

遷户部員外郎。
易可訓 湖廣蘄州人，舉人，十二年任，丁憂。
史炳 山東 益都人，舉人，十四年任。
崔淳 山東 平度州人，恩生，十五年任。
陳大務 山東濟南人，舉人，

年丁憂。
于重光 山東陵人，貢士，十八年任，二十年謫。
龔應祥 遼東廣甯人，舉人，二十年任，二十五年遷知景州。
劉伯綬 山東歷城人，舉人，三十一年任，調知上元縣。

道監察御史。（據黃燁書院記、陳懿典魁星樓記）
王之都 山東新城人，乙未進士，二十七年任，遷户部主事。
劉澤林 河南扶溝人，進士，三十年任，遷刑部主事。
檀芳邃 山東汶上人，進士，

沁人，舉人，三十二年任，調沅江。
艾友芝 字春谷，貴州都匀人，舉人，三十五年任，修縣志。
黃宸 江西崇甯人，貢生。
賈克忠 陝西淳化人，進士。
陳荀産 貴州銅仁人，舉人。

劉錫元 南直常州人，進士，萬曆年任。
郭鎮 河南人，舉人。
王家楹 山西人，進士。
張思桂 山東人，舉人。
李繼芳 陝西人，舉人。
張所蘊 詳傳。

興人，舉人，隆慶五年任，重修磚城。按：磚城記鵰作鵬，然萬曆沈志、武清吴志並作鵰。
龐賢 山西人，舉人，五年任。
李賁 字亨甫，遼東廣甯衛人，六年任。
范儒 山西

湖廣襄陽人，進士，官至副使。（據萬曆沈志）
劉不息 詳傳。
王家相 河南汲人，舉人，遷知□州。（據萬曆沈志）
張燭 山東壽光人，進士。（據寶坻洪志）按：萬曆沈志以壽光之

十八年任，丁憂。
趙堪 山東甯海州人，選貢，二十年任，丁憂。
陸吉 浙江桐鄉人，舉人，三十年任。
萬尚烈 江西新建人，舉人，三十年任，三十四年加陞同知，以陵工遷刑部員外

楊教 山西臨晉人，舉人，三十二年任，遷昌平知州。
方宮桂 南直六合人，歲貢，三十六年任。
葉曾 浙江麗水人，歲貢，三十七年任，四十一年遷知莒州。
張六行 山西盂人，舉人，

三十二年任，遷户部主事。
秦士文 山東蒙人，進士，三十五年任，遷禮部主事。
尹同皋 詳傳。
王之琦
田生芝 四十七年調自固安，詳傳。
王家楹

三人萬曆年任。

王繩武 貢生。

姚一讓 山西五臺人，舉人。

胡從禮 陝西咸甯人，舉人。

楊起震 山東新城人，舉人。

趙賢 遼東

詹儀 湖廣黃岡人，舉人，天啟年任。

李正芳 陝西人，舉人。

魏雲龍 陝西人，舉人。八人萬曆年任。

劉開文 山東鄒平人，進士，崇禎年任。

劉夢偉 河南人，進士，崇

人，萬曆四年任，五年，調知褒城縣。

宋蘭 山東萊陽人，舉人，五年任。

陶允光 浙江金華人，舉人，十一年任。（已上據萬曆沈志、武清吳志）

鄭一貴 江西金谿人，舉人，

壽連名，誤。

張世則 詳密雲表。

丁應詔 詳傳。

詹全覺 江西都昌人，進士。（據萬曆沈志。）

萬世德 山西偏頭所人，進士，官至天津巡撫。（據寶坻洪志。）

管應鳳

郎。

張蘊 山西孟縣人，舉人，三十四年任。

楊教 山西臨晉人，舉人，三十五年任，卒於官，祀名宦。

徐守禮 浙江建德人，舉人，三十九年任，告病，改選鳳陽府壽州。

四十二年任，四十六年遷濟南通判。

張國綱 陝西安定人，舉人，四十七年任。

陳安民 歲貢，天啟二年任，六年，遷九江通判。

李後 河南磁州人，舉人，六年任。

趙輝忠

山西洪洞人，進士，天啟元年任，遷揚州府同知。

王應泰 陝西人，進士，四年任，欽取吏部。

張星 陝西人，進士，崇禎三年任。

荆作永 山西臨晉人，四年任，調取禮科給事中。（據密雲薛志）

人，貢生。 常儼 山西蒲州人，貢生。六人天啟年任。 竇允哲 陝西富平人，舉人。 沈域 詳傳。 膚崇眷 河南扶溝人，舉人。 郭三奇
禎三年任，失餉銀三千，自縊。有司責其家，帝原之。（據明史淩義渠傳） 樊士英 陝西人，舉人。 林鶴鳴 陝西人，舉人。 王繁印 河南人，舉人。 裴平淮 山西人，舉人，崇禎十年任。
十六年任。 曹一鵠 山東安邱人，舉人，十八年任。 汪鶴齡 安徽霍山人，選貢，二十二年任。 滕如麟 雲南永昌衛人，舉人，二十五年任。 戴維藩 安徽天長人，選貢，萬曆二十六年
詳傳。 袁黃 詳傳。 張兆元 詳傳。 李如檜 山東陽信人，進士。 趙彥復 河南杞人，進士。 毛尚忠 進士。 李景登
李逢春 四川潼川州人，舉人，三十九年任。 趙廷琰 四十一年任，四十六年加陞同知，祀名宦。 華袞 十四八年任，天啟二年加陞同知，時稱天下清廉第一，以陵工陞户部員外郎，祀名宦。
四川岳池人，歲貢，崇禎二年任。 周達洽 陝西臨潼人，恩貢，三年任。 上官藎 詳傳。 韓煜 陝西寶雞人，恩貢，九年任，十二年，遷汝甯同知。 王國楠 山西安邑人，舉人，
姜埰 字如震，萊陽人，進士，官至給事中。（據明史列傳） 秦世英 調自文安。（據文安楊志） 王應元 山西猗氏人，進士，七年任，行取監察御史。 朱國瀚 河南洛陽人，進士，

遷自縣典史。

涂應召 遼東鐵嶺人，貢生。

宿自中 山東掖人，舉人。

丁師義 雲南楚雄人，貢生。

萬時彦 遼東人，舉人。

張魯傳 江南人，舉人。

沈諫 陝西人，拔貢，遷□□同知。

孫光啟 廣西人，舉人。（已上據三河陳志）

任。

潘大復 浙江烏程人，進士，二十七年任，刑部主事。

曾曰唯 河南光山人，進士，二十八年任。

李本固 山東臨清州人，進士，二十九年任，遷刑部主事。

李垂街

詳傳。

秦士文 山東人，進士，官至兵部尚書。

王淑抃 陝西耀州人，進士，終户部郎中。（據明史王圖傳、寶坻洪志）

劉惟忠 進士，遷御史。

鍾英 河南人，進士

徐士俊 山西人，舉人。

吴養恂 山西人，舉人。

丁紹春 四川人，舉人。

焦崇功 陝西人，舉人。

文運衡 山西人，舉人。

張鼇養 山西人，舉人，崇禎元年任，祀名宦。

十二年任，十四年去。

張羅

淩景元

許惠

陳榆（已上據順義黄志）

十二年任，行取兵部主事。

漆園 江西新昌人，進士，十四年任。

孟明輔 河南祥符人，十五年任，欽取禮科給事中。（四人據密雲薛志）

高鳴鶴　陝西商邱人，貢生。（已上據萬曆沈志、通州高志）

陝西鎮安人，進士，三十年，由香河調，遷刑部主事。按：鎮安非山西，武清蔡志誤。街，武清志作階。香河劉志籍不誤，故並依之。

朱萬壽　三十七年，調自房山。

胡平表　雲南人，舉人，三

康丕揚　山東陵人，進士，調密雲。

李一鼇　進士。

許都　湖廣公安人，進士。

周詩雅　詳傳。

張星　河南人，進士。

王應泰　陝西人，進士。

宋獻　江南人，舉人，九年任。

劉深仁　江南人，舉人，十二年任。

張橘　十年任，十二年，遷本州兵備道。

牛九宿　湖廣人。

張問德　江南人，舉人。

十七年任。

孫織錦　河南許州人，進士，四十年任。

馬象坤　山東臨清人，舉人，四十六年任。

蘭完植　河南開封人，進士，四十七年任。按：吳志，己卯當是己未之譌。

李士元

（已上據寶坻洪志）

王則古　河南人，進士，四十五年任（據大覺寺碑陰、密雲武學碑記）

史應聘　河南人，進士，天啟二年任。

楊泰升　蘭州人，進士。

董有聲　河南人，舉人。

劉三元　山西人，舉人。（已上據昌平舊志）

山東金鄉人，進士，泰昌元年任，遷戶部主事。按：吳志，萬曆庚申即泰昌元年。
陳民情　遼東人，進士，天啟三年任，調知遵化。
畢生輝　山東萊蕪人，進士，四年任。
毛九華

（已上據寶坻洪志）
李崇一　河南杞縣人，進士，崇禎年任。
趙國鼎　詳傳。
侯君昭　山西人，舉人，遷主事。
王國儒　泗水人，進士。（已上據寶坻洪志）
漆園　西江

山東人，進士，七年任，後行取御史。（已上據武清吳志）

武起潛 詳傳。

王國訓 字振之，山西解州人，進士，崇禎二年任，調扶風，城陷，死。（據明史列傳）

姚澤揚 山東費人，進士，

人，進士，崇禎間任。

許曰可 山西曲沃人，進士。（據寶坻洪志）

高承埏 詳傳。

曹鼎臣 如皋人，進士。（據寶坻洪志）

五年任，調知清豐。

唐起鯉　廣西全州人，舉人，七年任。

王亶　山西蒲州人，舉人，九年任。

許應鉉　江南人，進士，十一年任。

李元胤　山西人，舉人，十

二年任。

李原立 山西人，進士，十三年任，累官鎮江知府。

劉世芳 河南人，舉人。

史標 陝西華陰人，進士，十五年任。(已上據武清吴志)

以下佐屬

唐						邊行存 順州司馬。（據邊魯路縣令邊府君墓石）		
遼		史士諤 商都監。 劉參 商酒院使。 張公藝 何捴 劉湘 崔公彦						

金

高衎 字穆仲，遼陽渤海人，㶟陰丞。（據金史列傳）

宋仝 海陵時吏部主事，降㶟陰主簿。（據金史高衎傳）

富察思忠 大定二十五年，㶟主簿，詳

本典（四人據遼乾統三河重修廟記）

蔡珪 字正甫，大定年，三河主簿。（據金史坿蔡松年傳）

丁暐仁 皇統二年，武清丞，詳先賢傳。

馬百禄 三河人，武清縣主簿，遷同知北京轉運使，詳先賢傳。

完顏佐 本姓梁氏，貞祐三年二月，武清縣巡檢，以誅乣賊張暉

李愿 大定十二年，寶坻丞。（據劉晞顔新建寶坻縣記）

李拱昌 大定十二年，寶坻主簿。（據同上）

孫告中 大定十二年，寶坻縣尉。（據同上）

蒙古特

温特赫雅齊堪 同知順州軍州事，詳傳。

張璘 順州司候，大定三年免。（據金史劉仲誨傳）

王宗永 順州知法，詳密雲。

舒穆嚕烏哲 密雲縣尉，大定三年免。（據金史劉仲誨傳）

王宗永 大定三年，詔劉仲誨等，廉問所過州縣，還奏狀，順州知法權密雲縣事王宗永擢密雲縣尉。（據金史仲誨傳）

涿州表。

等功進官。（據金史宣宗紀）

默　大定二十七年，寶坻尉，詳傳。

完顏伯嘉　明昌二年，進寶坻丞，官至兵部尚書。（據元史補）

完顏霆　貞祐初，寶坻丞，詳縣表。

元

馮瑞
張寅 二人，泰定年，主簿。（據三河陳志）
張世傑
牛居祖 二人，泰定年，典史。（據同上）

耿安祖 至元五年，武清主簿。（據東嶽行宮碑陰）
董讓 至元五年，武清縣尉。（據行宮碑陰）

耿德昭 至正十年，寶坻縣主簿。（據鄭惪重修孔子廟記）
郭伯顏
不花 至正十年，寶坻縣主簿。（據同上）
課不花 至正十年，寶坻縣尉。（據同上）
張希恭 至正十年，寶坻典

張敏 至元二年任。縣尉，下四人同。
咬住 二年任。
郭瑥 大德四年任。
莫帖哥
脱脱 至順四年任。
買奴 至元二年任。主簿，下五人同。

祝獻 至元八年，同知順州事。（據廟學記）
廉和斯
哈雅 原作惠山海牙，字公亮，至治元年，同知順州事。（據元史列傳）
王涿 至順初，吏目。（據順義黃志）
孫約禱

巴延 至正六年，同知檀州，裹修學宮。（據元王思誠檀州文廟碑記）
崔克敬 至正六年，檀州判官，裹修學宮。（據同上）

史。（據同上）

劉琛 二年任。
阿思蘭
不花 大德四年任。
任克紹 至順四年任。
法忽兒
丁 四年任。
劉伯誠 至正二十三年任。
李堅 至元二年任。
典史，下

琜砂 順州同知。（據廟學碑）
許讓 順州判官。（據廟學碑）

四人同。

劉伯成 二年任。

陳彥禮 大德四年任。

郭弼 至順四年任。

盧瑀 四年任。

孟得椿 昌平提領，至元年任。

崔伯顔

不花 稅務司提領，至順四年任。

朱榮 稅務司提領，四年任。

龐恭 至順四年任。務使，下一人同。

鎖兒

王居中 務副，至順四年任。務副，下一人同。

明	
李惟正 洪武初，漷州吏目。(據通州高志)按：此後改典史。 顏鏡 江南	
楊輔 陝西人，舉人，天順年任。縣丞，下二十人同。按：三河陳志輔作賴，今據	
程均張 洪武初，修縣治。縣丞，下二十六人同。 陶銓 正統	
柳青 坿判 志傳。縣丞，下六十六人同。 程彥明	
謝本 洪武十八年任。縣丞，下三人同。 綦纓 成化十六年任。	魏士忠 劉顯 醫學 教諭，至元二年任。 孫彥昭 陰陽學教諭，至元二年任。(已上據昌平舊志)
李汝夔 縣丞，下十二人同。 郭鎔 楊世華	
蔣思廉 洪武十二年任。(據萬曆沈志、密雲薛志)縣丞，下二十四人同。	
李鐸 主簿，下六人同。 高棟 石岱 張良臣	

揚州人，天順年任。按：萬曆沈志云成化年。
王習 成化年任。（據通州高志）
盧俊 弘治九年任。
張釗 嘉靖三年任。
張寵
楊公 廣東人。

萬曆沈志。
劉潔 弘治十二年任。
張望 正德九年任。
郭寅 山西人，例貢，正德十年任，遷知本縣。
白鑄 山西人，吏員，十二年任。
閻誠 監生，嘉靖二年任。

年任。
游綬 河南固始人，監生，成化年任。
蕭鳴 陝西麟游人，監生，成化年任。
吳鼎 山西人，吏員，嘉靖七年任。
張洪 山西人，監生，九年任。

洪武七年任。（據寶坻洪志）
郭瑗 宣德年任。
胡佐 天順年任。
郭宜
歐文 湖廣人。
李温 山東齊東人。
廖庸 陝西人。

張瓛 弘治十五年任。
張懷 正德八年任，比照林尚書例，復請縣爲州，此懷之力也。
程驥 洪武二年任。主簿，下一人同。
張瓚 成化十六年任。
蘇真 景泰三年任。典史，下

同。
王徵
胡應祥
楊季春
呂鳳翔
王性訥
呂公學
呂子良
李克信
王化民
劉光大 萬曆二十一年任。
呂暹 主簿，下四人同。

梁永泰 景泰時任。（據密雲薛志）按：萬曆沈志奪。
朱鼎 成化五年任。
秦寬 成化年任。（據密雲薛志）
張簡 大同人，正德八年任。
薛莊 嘉靖三年任。

毛豪
王輔
張定 按：缺，嘉靖中裁。
楊能 典史，下十二人同。
鄺甯
吳妍
崔廷輔
張相
甘炯
江東
孫釪

周明 江南盱眙人。
王崇德 二十二年任。
胡月政 陝西漢中人，三十五年任。
何法 浙江鄞人。
郭天禄 河南偃師人。並嘉靖年任。
朱芾 江西

按：三河陳志，閻作閏。
姚昂 遼東人，監生，八年任。
何守烈 福建人，吏員，十五年任。
陳則仁 福建人，監生，十七年任。
毛録 浙江人，吏員，十九年

周召 河南人，監生，十四年任。
汪漳 浙江人，吏員，十七年任。
談儒 湖廣巴陵人，吏員。
喬琬 山西霍州人，監生，嘉靖年任。
宋惟曜 浙江餘姚人，監生，

舒堂 山西人，遷知□州。已上弘治年任。（據萬曆沈志）
范智 坿莊[illegible]傳。
李清 與王璲同時。（據大覺寺碑陰）按：萬曆沈志奪。
董昂 弘治年任。（據萬曆沈志）

一人同。
薛鑑 成化十六年任。
袁鉞 山東人，監生。州判，下十二人同。
鄧璽 陝西涇陽人，吏員。
王近思 山東人，監生。
孫舉 大同右衛人，監生。
盛鼎 江南

郭斌
馬璿
孫鼐
張愷（已上據萬曆沈志）按：順義黃志奪。
郝文秀 典史，下十八人同。
張延齡
朱昇
高政
胡珊

蕭立成 九年任。
申敬 二十二年任。
錢通 二十三年任。（五人據萬曆沈志）
金堪顧 浙江人，二十五年任。（據密雲薛志）按：沈志奪。
金昭德 浙江人，二十五年

劉應鱗
范文爚
馮甘澤
唐應拔
焦希賢（已上並據懷柔吳志）

人，隆慶年任。
戴宮 江南 山陽人，萬曆三年任。
于士弘 山東人，六年任。
王三錫 陝西隴西人，八年任。
陸元信 浙江人，十四年任。
游德 江南

任。
彭惟麟 浙江人，吏員，三十二年任。
王邦儒 廣西人，監生，三十四年任。
陳言 山西 人，監生，三十五年任，遷□州判。
金聲 陝西 人，監生，三十九年任。

隆慶初任。
白玉 陝西 人，吏員，元年任。
王一麟 山西人，監生，元年任。
艾谿 陝西 人，監生，五年任。
李培兆 遼東人，貢生，萬曆元年任。

張玄 山西 人。（據寶坻洪志）
魏仁 與張元相同時。（據廣濟寺碑陰）
黃維中 坿管應鳳傳。按：二丞，萬曆沈志奪。
吳鸞 山東 人。
陳嘉猷 山西人。

宿遷人，監生。
胡啟 江西 人，吏員。
孫廷美 陝西人，吏員，居官情操，臨事勤敏，係陳免馬功，存碑刻，遷長蘆運判。
張緒 陝西 涇陽人，吏員，刑名習熟，志向端方，吏畏民懷，在任

郝君用 按：君，順義黃志作均。
尹君卿
張淳
馬惟淮
李倫
鄭書
吳守業
王伯珊
張塵（已上據萬曆沈志）按：順義黃志奪其

任。
任瓚 嘉靖 二十九年任。按：瓚，薛志作贊。
朱良臣 三十四年任。
童錫 三十八年任。
林襄 嘉靖 年任。（據萬曆沈志）按：薛志奪。
夏興仁

天長人，十五年任。
張誥 陝西人，二十年任。按：萬曆沈志止此。
程國宣 福建人，二十三年任。
騫登春 陝西人，二十六年任。
陳孝隆

黃口 福建人，吏員，四十一年任。
徐銘 山東人，吏員，四十二年任。
張紹 山西人，監生，四十五年任，遷審理。按：萬曆沈志，紹下有山字，蓋以山西人之山誤連名下，今據三河陳志

俞養性 浙江山陰人，吏員。
王世恩 山西翼城人，恩貢，萬曆年任。
楊世泰 湖廣蒲江人，吏員。
董鳴鳳 浙江太平人，吏員。按：武清吳志作鳳鳴，今依萬曆沈

解乾元 山西人。（三人據寶坻洪志）
張古柏 坿胡與之傳。
任薦 與李景登同時。（據城隍廟碑陰）
劉謝 山東人，遷知口縣。（據萬曆沈志）按：寶坻洪志謝作澍。

不染，九年方滿，一疾忽嬰，決志告歸，轉官不顧。
駱恩 四川貴州人。
王文續 山東曹州人，歲貢。
吳蘭
邢珮 陝西甘泉人，歲貢。
王夢瑞 湖廣長楊人。

半。
明庚
于尚仁
張守佐（三人據順義黃志）
章應選 萬曆年任。（據萬曆沈志）
黃效承（據順義黃志）

四十年任。
鄭誥 四十二年任。按：密雲周志誥譌浩。
俞齊山 四十五年任。
邱如岳 隆慶三年任。
向日 山東人，五年任。
王希武 山東人，萬曆二年任。

浙江鄞人，三十二年任。

朱應奎　江西德化人，三十五年任。

高登庸

許汝成

雷煥

高宗賢　四人天啟年任。

劉文謨

和俊

李奉政

正。

劉瑗　陝西人，監生，隆慶元年任，遷知口縣。按：瑗，萬曆沈志作瑗，今據三河陳志。

于士鯤　山東人，監生，隆慶五年任。

李鳳鳴　山東人，監生，萬曆二年任。

志。

李成名　浙江上虞人，吏員，萬曆年任。（二十八人據萬曆沈志、武清吳志）

張世業　山東平陰人，貢士。

李滌　山東臨邑人，貢士。

毛子桂　江西新城人，知

吴達　江西人。

李興　山東陽信人。

李素　山東人。

王用賓　山西大同人。

傅和　浙江餘姚人，遷知口縣。（五人據萬曆沈志、寶坻洪志）

趙思職

陸奎　浙江人，監生，吏目。下八人同。

路伯亨　山西潞州人，監生。

白鎧　陝西人，歲貢。

張寶　山東人，吏員，清心守己，寬恤治民，甚得上心，九年任滿，遷清遠縣主簿。

邱元　山東人，四年任。

張永晏　五年任。（八人據密雲薛志）

黃繼　萬曆年任。（據萬曆沈志）按：薛志奪。

李質　山東人，萬曆年任。（據密雲薛志）

段録　成化五年任。（據萬曆沈

陝西人。

郭三奇 山西人，貢生，遷知縣。

馬應麟

趙占魁 六人崇禎年任。（已上十四人據通州高志）

楊思賢 浙江錢塘人，洪武初，漷州同知。（據通州高志）按：

李時春 江南人，監生，五年任。（已上二十一人據萬曆沈志，參三河陳志）

董如愚 主簿，洪武十年任。（據三河陳志）主簿，下三十九人同。

蘇世達 山西人，監生，永樂年任。按：達，

印。

王國柱 湖廣人。

談聖經 福建人，吏員。

章尚恭 吏員。

周允徵 浙江人，吏員。（七人據武清吳志）

周冕 陝西人，監生，成化年任。河西務主簿。

與李如檜同時。（據城隍碑陰）

江西 山東即墨人。（據寶坻洪志）

王鐸 山東人，萬曆年任。

郭文耀 山東人，萬曆年任。（二人據萬曆沈志）

袁寶 山東人，遷□□判官。（據寶坻洪志）

李棲雁 陝西人，貢生。

李麟

宋時昌 山東膠州人，監生。

賈思敬 山東臨清州人，監生。

張大政 江南人。（已上據昌平舊志）

志）典史，下十七人同。

邵宏 成化年任。（據密雲薛志）

夏思來 九年任。（據萬曆沈志）

陳敏 七十年任。（據密雲薛志）

龍潤

王潤 正德

此後改縣主簿。楊先 河南光州人，天順年，主簿。主簿，下四十四人同。張傑 山東陽穀人，天順年任。（據萬曆沈志）郝敬 成化年任。（據通州高志）劉釗 弘治九年任。

三河陳志作選，今據萬曆沈志。謝良 景泰年任。徐璉 成化年任。劉珣 劉恭 二人並弘治年任。趙鉞 正德年任。（五人據萬曆沈志）楊澍 嘉靖

下二十二人同。高深 山東人，監生，成化年任。宋恩 山東人，吏員，嘉靖十七年任。秦鏜 江蘇儀徵人，嘉靖年任。齊華 吏員，三十年任。齊邦用

邊泰 石進 張正 曹璘 張真 尉德 莊釗 張轍 段朝聘 朱遇覲 魏正 郭旻 邱鸞

年任。（二人據密雲薛志）宋懷寶 山東人，嘉靖十年任。宋時宧 四十二年任。許一經 四十五年任。張峴 隆慶元年任。按：峴，沈志作現。侯尚德

于澤陝西吳堡人。
蔣克家山東高唐州人。
李公江南鳳陽人。
劉觀山東人。四人，弘治年任。
徐文敬浙江嚴州人，嘉靖二十六年任。
崔泗河南

年任。按：萬曆沈志奪。
徐宜八年任。
劉錡福建人，監生，十一年任。
盧文瀚十五年任。
宋宗彝山東人，監生，十九年任。
李拱辰

吏員，三十年任。
王嘉賓
田鯤監生，四十一年任。
周書宜城人，吏員。
張問明
馬驥
安賓陝西人，監生，萬曆元年任。
黃綬遼東人，監生，二年

劉敘
何汝霖
王之翰
李鳳鳴
王訓
抹彬
武健
沙相
趙大族二十一人萬曆年任。（據萬曆沈志）
張淮山東鄒平人。

河南洛陽人，隆慶五年任。
游恢萬曆五年任。（六人據萬曆沈志、薛志）
李有恩萬曆年任。（據萬曆沈志）
茹學文浙江山陰人，三十二年任。
童常吉浙江會稽人，三十

修武人，二十六年任。李企山東人，三十年任。（據同上）
陝西西甯人，監生，二十二年任。張岳山西人，監生，二十五年任。高僉山西人，監生，二十七年任。楊景新山西石州人，監生，三十年任。按：萬曆沈志奪新字。
任。趙汝礪遼東人，恩貢，四年任。張祿遼東人，監生，六年任。劉閾河南磁州人，監生，九年任。李應亨山西介休人，監生。
方旦雲南人。陳德益福建長樂人。郝仲英山東甯陽人。林朝渙福建福清人。王繼仁山東人。劉爾讀山東肥城人。（六人據寶坻洪志）
五年任。董國英浙江慈谿人，三十八年任。廖尚義三十九年任。吳士良四十一年任。（五人據密雲薛志）

王應箕 浙江人，吏員。

杭璋 南直宣城人，監生。

劉錫 陝西同州人，吏員。（十二人據三河陳志）

胡杰 陝西人，監生。按：杰，三河陳志作傑。

郭九敘 山西人，監生。

翟輔 南直涇人，監生。（十八人據萬曆沈志、武清吳志）

劉應顯 南直含山人，監生。

龐友訢 廣西北流人，選貢。

石文體 山西澤州人，監生。

李應陽

郭九齡 二人萬曆年任。（據萬曆沈志）

蔡玉 陝西平涼人。

段補衮 山西永和人。（二人據寶坻洪志）

金棇

任薦 二人，萬曆年任。（據萬曆沈志）

按：敘，三河陳志譌淑，今據萬曆沈志正。趙梧 山西人，監生。李俊 山東人，吏員。王世强 山東人，吏員。五人並嘉靖年任。（據三河陳志）劉鐼 山西人，監生，嘉靖四

周恪 山東兗州人，貢生。程鵬 遼東右屯衛人，貢生，萬曆二十五年任，遷山西交城縣丞。牟大賓 山東壽光人，監生。（六人據武清吳志）欒翔 山東人，成化年典史。典史，下二十人同。按：翔，武清

祝繼善 與史應聘同時。（據大覺寺碑陰）陳愷 宣德年，主簿。（據萬曆沈志）主簿，下五十一人同。朱賢 河南人，修孔廟。（據寶坻洪志）高順 何良 二人天順年任。（據萬曆

，十一年任，遷典儀。按：三河陳志鑌作璸。

呂堯賓 山東人，監生，隆慶二年任，遷兵馬司。按：三河陳志堯作克。

王舜臣 宣化人，監生，隆慶五年任，遷典儀。

白九圍

吳志作祥。（據萬曆沈志）

張鉞 河南人，吏員，嘉靖十九年任。

李宗祀 山東德州人，吏員，以廉直稱。

冷文貴 山東掖人，吏員。（四人據萬曆沈志、武清吳志）

金文元

沈志）

蘇興 元山人。

邊泰 山西大同人。

張正 山西曲沃人。

石進 陝西人。

曹璘 山東人。（五人據寶坻洪志）

趙聰 坿莊

宣化人，監生，萬曆二年任，遷典儀。

張鯉 山東人，恩貢，四年任，遷口縣丞。

翁益學 遼東人，監生，十年任。（四人據三河陳志）按：萬曆沈志奪學字。

鄧明易 萬曆年任。（據萬曆

三十六年任。（據王維垣城隍廟碑）

于聰 山西人，吏員，嘉靖年任。按：武清蔡志沿吴志，于謅作丁，今據萬曆沈志正。

張淳 山東武定人，吏員。

彭時 湖廣人，吏員，遷倉大使。

禩傳。

任紹宗 坿莊禩傳。

張真 山西人。

尉德 山西人。

莊釗

張轍 山西人。（四人據寶坻洪志）

楊應張 坿管應鳳傳。

沈志）

馬之服

楊時化

姚元龍

高伯涵

魯學詩

吴禹卿 浙江人。六人，並萬曆年任。（據三河陳志）

吴晉 浙江山陰人，天啟年任。（據吴氏譜）

曾述 江西人，吏員，隆慶六年任。

戚維垣 浙江餘姚人，吏員，遷倉大使。

周效堯 揚州人，吏員。

曾應暘 江西豐城人，吏員。

孫中孚 山東壽光人，吏

段朝聘 河南人。

朱遇覲 山東人。

魏正 曲阜人。（三人據寶坻洪志）

齊寅 與魏正同時。（據廣濟寺碑陰）

張肖石 坿胡與之傳。

沙潮 遷自

馮啟承浙江人，崇禎十年任。姚元山西人，貢生。王賜俸陝西人。二人並崇禎年任。（據三河陳志）張繼先嘉靖年任典史，下十八人同。按：三河陳志，先

員。甘弘化江西豐城人，吏員。王宣湖廣麻城人，吏員。陳鴻福建人，吏員。徐欽浙江山陰人，吏員。范國禎江西高安人，吏員。（十三人據萬曆沈

宛平典史。郭旻山西人。邱鸞山東人。劉叙山西人。何汝霖陝西人。王之翰山西人。李鳳鳴山東人。

作堯。

魏華

屈堂

魏輔 淮安人，嘉靖三年任。

田琛 陝西人，十五年任。

王來 嘉靖年任。

李木 浙江人，三十三年任。

劉勳 淮安人，三十八年任。

志）

石文體 萬曆年任。（據萬曆沈志）按：武清蔡志沿吴志奪。

吴登庸 南直高淳人，吏員。

李宗傳 浙江餘姚人，吏員。

徐可途 江蘇興化人，吏員。

王訓 山西人。

武健 山西人。（八人據寶坻洪志）

冉夢龍 與管應鳳同時。（據大覺寺碑陰）

抹彬 遼東人。

沙相 浙江杭州人。（二人據寶坻洪志）

劉采廣西人，四十一年任。按：采，萬曆沈志譌菜。

封繆江西人，四十二年任。

李燧山東人，隆慶元年任。

嚴子重江南人，四年任。（十二人據三河陳志）

馬尚遷陝西人，萬曆元年

（三人據武清吳志）

李應春與李景登同時。（據城隍廟碑陰）

吳尚義浙江山陰人，嘉靖年管河主簿。（據吳氏譜）

姚□□浙江杭州人。

趙大族陝西人。

張維山東人，遷丞。

任。（據萬曆沈志）按：三河陳志遷作選。

雲喜 山東人，四年任。

周耀 江南人，八年任。（二人據三河陳志）

許堂 萬曆年任。（據萬曆沈志）

許池恭 江南人，萬曆十一

李應陽 河南人。

郭九齡 南直太平人。

金積 浙江嘉興人，遷丞。按：寶坻洪志云遷縣丞，而丞失載。萬曆沈志積作栁。

崔天叙 陝西榆林人，遷丞。按：寶坻洪志

年任。
尚德光 廣東化州人，萬曆年任。
謝上達 南直溧陽人，天啟年任。
陳一敬
李文 巡檢，下三人同。
孫通
任美
劉卿

失載。
朱采 南直太平人。（八人據寶坻洪志）
韓永定 山西蒲州人。
呂同律 二人萬曆年任。（據萬曆沈志）
劉任 與李如檜同時。（據城隍廟碑陰）
高梧 河南

張亮大使，下九人同。

康福昌山東濰人。

田奇河南汲人。

秦崇

秦得山山西人。

何義濟雲南甯州人。

劉掄南直山陽人。

河內人。

呂鳳陽貴州銅仁人。

陳敬主（四人據寶坻洪志）

喻文淩與史應聘同時。（據大覺寺碑陰）

樊樞坿趙國鼎傳。

馮旭之與高承埏同時。（據寶坻洪志）

郭錫

李顯明

王大化 山西渾源州人。

陳維一 北直大名人。驛丞，下十九人同。

林禎 晉江人。

馬克信 山東恩人。

梁棟 河南洛陽人。

按：萬曆沈志，縣丞邊泰已下與竇坻洪志主簿同者二十餘人，而主簿遷縣丞者數人，疑沈志誤，然沈志修自明時，或主簿遷丞者多耶？姑兩據入表。

白福 順天年任。典史，下三十人同。

趙貴

王松紀 陝西人。
王敖 南直淮安人。
盧華 河南湯陰人。
梁豹 河南孟津人。
封寶 山東濟甯州人。
楊枌 山西蒲州人。
熊慎 四川

劉慶 二人成化年任。
解阮（四人據萬曆沈志）
賈錵 坿莊禪傳。
蘇興（據萬曆沈志）
楊汝梅 河南人。
（據寶坻洪志）
張廉 與王璲同時。（據大覺寺

眉州人。
林得茂　福建人。
朱大棣　浙江人。
楊友清　山西靈石人。
楊楫
李景嵩
王朴　清苑人。
王鑑　山東人。

碑陰）
馬廷輔　陝西三原人。
鄧有志　雲南人。（二人據寶坻洪志）
何愨　坩管應鳳傳。
祝良顯　萬曆十一年任。（據大覺寺碑陰、寶坻洪志）
郭謙　山西

張四達

劉梓

（已上據三河陳志）

高平人。

孫正己

湖南巴陵人。

王珠

山東福山人。

鄭文英

浙江上虞人。

（六人據寶坻洪志）

李士華

萬曆年任。（據萬曆沈志）按：寶坻洪志奪士字。

邵大忠

浙江餘姚人。

嚴密　南直吳人。

宋治　山東臨清州人。

王六符　河南磁州人。

陳拱　南直石埭人。

楊光祖　雲南人。六人，並萬曆年任。（據寶坻洪志）

章奕 福建永福人，萬曆年任。（據萬曆沈志）按：寶坻洪志奕作爽。

薛禎 與李景登同時。（據城隍廟碑陰）按：李景登知縣事在萬曆二十年後。

汪國賓 與李如檜同時。

（據城隍廟碑陰）

劉惟珍　萬曆年任。（據萬曆沈志）

楊遂（據真武廟碑）

湯進善　與史應聘同時。（據大覺寺碑陰）

張六師　坿趙國鼎傳。

郝應乾

崇禎年，與高承埏同時。（據寶坻洪志）

王天祐 蘆臺巡檢，下三人同。

李瑾

鄭志臣 山東人。

劉道南 山東人。（四人據寶坻洪志）

	涿州知州	房山知縣	霸州知州	文安知縣	大城知縣	保定知縣	薊州知州	平谷知縣
漢	滕撫 涿令，詳傳。 公孫瓚 涿令，坿劉虞傳。			趙虁 文安令，詳傳。 度尚 文安令，詳傳。				
晉	孫拯 富春人，涿令，有績，祀名宦。（據一統志）							
周					周信 武章			

	唐
	宋晙方涿令，詳傳。 劉怦涿州刺史，詳雜人傳。 劉濟范陽令，坿怦傳。 劉源涿州刺史，詳傳。 張仲至涿州刺史，永泰軍
	趙眺涿人，文安縣令。（據文安楊志）
文安人，平舒令。（據周書周惠達傳）	薛煜大城人，知縣。（據大城張志）
	朱泚寶應中，李懷山歸順，奏爲薊州刺史，詳鑒誡傳。 張仲斌薊州刺史，靜塞軍營田團練等使。（據李儉清河張仁憲神道碑） 馬康扶風

營田團練等使。（據李儉清河張仁憲神道碑）

張皋　涿州　刺史。（據唐書劉怦傳）

李傳正　涿州刺史。（據宋史李瓊傳）

趙敬　涿州　刺史。按：畿輔唐志與李傳正並列之唐。

人，莫州刺史，移薊州，攝州刺史。（據歐陽詹馬公墓志銘）

李獻　漁陽　郡長史。（據韓愈清邊郡王楊燕奇碑文）

五代

劉知温　涿州刺史，天祐九年，周德威次涿，知温以城歸順。（據舊五代史莊宗紀）

劉殷肇　涿州刺史，天成元年七月，鎮州王建立奏殷肇不受代，謀作亂，已討擒之。（據通鑑二百七十五）

安叔千

田景成　顯德六年，由保大軍節度使爲淤口關部署。

王晏　顯德六年，由鳳翔節度使爲益津關部署。（二人據霸州周志）後周。

胡瓊　天祐十九年，薊州刺史，夏四月，契丹攻拔之，擒瓊。（據遼太祖紀）晉。

字胤宗，後唐明宗，天成四年，由泰州刺史爲涿州刺史。（據册府元龜一百二十三）

史懿字繼美，代郡人，天成年，涿州刺史。（據舊五代史傳）

王思同馬軍左廂都指揮使，領薊州刺史。（據册府元龜三百六）

	宋
十）已上後唐。陳審確 仕後唐至晉，歷涿州刺史。（據宋史陳思讓傳）晉。	許周瓊 開寶二年九月，遼涿州刺史，降，仍領涿州刺史。（據遼史拾遺六續通鑑六）按：此爲遼保甯元年。
	宋渥 十年一，補內殿直，遷供奉官，從太祖征伐，同平章事，知霸州。（據霸州周志）石曦 并州
	王延德 開封東明人，太平興國初，領薊州刺史。（據宋史列傳）高瓊 燕人，太平興國五年，授馬步軍都軍頭

王漢忠字希傑，徐州彭城人，太宗時，遷右班都虞侯，領涿州刺史。（據宋史列傳） 田敏字子俊，真宗時，以功領涿州刺史。（據宋史列傳） 郭藥師涿州留守。坿王安中傳。
太原人，雍熙四年，知霸州兼部署，入名宦。（據一統志） 丁罕字顥州人，淳化三年知霸州。（據宋史薛超傳） 錢晦字明叔，臨清人，淳化間，霸州防禦使，捍禦功高，官至武勝軍節度。（據宋史
領，薊州刺史。（據宋史列傳）

錢演傳、霸州周志）

楊瓊 汾州西河人，至道二年，知霸州兼鈐轄。（據宋史列傳）

陳與 澶州人，從太宗征伐，爲御龍弩直部虞使，知霸州。（據霸州周志）

楊應詢 歷知信安、保定軍，詳傳。

李邈 江西清江人，知信安軍，徙知霸州。（據霸州周志）按：畿輔唐志名宦，李邈字彦思，臨江人，拜河北制置使，守正定，金人拘之，遇害，高宗謚忠壯。今考宋清江縣隸江南西路，臨江軍即今江西清仁縣也，疑是一人。

遼

李内貞　字吉美，嬀汭人，世宗時，由中門使攝薊州刺史。（據李公墓誌）

耶律和卓　保甯初，涿州刺史，詳傳。

許周瓊　保甯元年，涿州刺史，降宋，詳前。

耶律昌珠　珠原作杰，

盧國用　天贊元年四月，攻薊州，擒刺史胡瓊，以盧國用尼嚕古典軍民。（據遼太祖紀）

尼嚕古　詳上。按：原作涅魯古。

耶律庶箴　字辰富，咸雍九年，知薊州事，明年遷都州

，涿州刺史，保甯六年三月，加侍中，與宋議和。（據遼景宗紀、孫逢吉職官分紀） **安吉** 涿州刺史，統和元年，奏宋築城河北，詔裕悅休格撓之。（據遼聖宗紀） **耶律守雄** 統和七年，涿州刺史。（據
牙。（據遼史列傳）

遼聖宗紀）

耶律旺禄 統和九年二月，涿州刺史，爲特哩衮。（據遼聖宗紀）按：旺禄原作王六，特哩衮爲首之謂。

韓紹芳 太平七年，知涿州。（據涿州雲居寺四大部經記）按：遼史，紹芳坿韓延徽傳，爲廣德軍節度使，奪知涿州事。

楊績 良鄉人，知涿州，清甯元年十二月，參知政事，見先賢傳。

簫惟平 清甯三年，知涿州。（據雲居寺四大部經紀）按：蕭作簫，借用字。

金

伯特德原作哩布伯特德離補，奚五王族人，天會年，涿州刺史，遷崇義軍節度。（據金史列傳）

張元素字子貞，遼陽渤海人，天眷元年，知涿州。（據金史列傳）

趙鑑字擇

彭景直知信安軍，有政聲。（據霸州周志）

伊喇益明昌三年，霸州刺史，詳傳。

姚璧天會十二年，知大城縣，繕學宮。（據大城張志、劉光國廟學記）

高喬天會年，薊州刺史。（據文廟碑）

完顏守道本名實訥埒，皇統年，薊州刺史。（據金史列傳）

史亨吉正隆元年，知漁陽縣。（據文廟碑）

伊喇履字履道，世宗時，

善，章邱人，天德初，濟州刺史，移涿州，政甚著，海陵召對，失旨，還郡，後知甯海軍。（據涿州吴志）

郭預　大定二十三年，涿州刺史，詳傳。

富察思忠　本名烏延隆安略海蘭烏珠，明安人，大定二十

。薊州刺史（據金史列傳）按：中宗集云耶律履。

瓜爾佳伊里哈　原作夾谷移里罕，大定二十一年，被命振貸，止給富户，削三官。（據金史世宗紀）

宋扆　薊州刺史。（據金史列傳）

五年，進士，漷陰主簿，累遷涿州刺史。（據金史列傳）

楊伯元 字長卿，開封尉氏人，明昌元年，涿州刺史。（據金史列傳）

瓜爾佳

博諾 泰和六年，涿州刺史。（據金史食貨志）

布薩安

賽典赤 薊州知州，省徭薄賦，去後民立賢牧碑。（據薊州張志名宦）

貞　本名阿哈歷，涿州刺史。（據金史列傳）

蘇爾坦　原作從坦，宗室子，貞祐二年，同知涿州事，遷刺史。（據金史列傳）

李奇嚕　原作李瘸驢，宣宗時涿州刺史。（據金史列傳）

元

兀魯䚟　朶濼涿州達嚕噶齊，坿齊都爾傳。　忽林赤順帝至元六年，涿州達嚕噶齊。（據蔡欽重修孔子廟記）　杜肅泰定四年，知范陽縣，坿曹明南傳。　劉寬徐州

王忠翊縣尹，下三人同。（據房山佟志）　王從仕　王鳳舉　劉尹　牙忽大德初，達嚕噶齊，詳傳。　宋世昌大德初，縣尹，坿牙忽傳。　荅剌馬

劉甫元貞中，知霸州，修學宮。　王崇道至大元年，知州，修學宮。　楊世彬皇慶元年，知州，修學宮。　郭渥至正十一年，知州，修學宮。（四人據霸州周志）

楊潤至大二年，文安縣尹，修學宮。（據文安楊志名宦）　李佑至大年，文安縣尹，重修廟學。（據尚野重修廟學記）　不花皇慶二年，達嚕噶齊。（據學碑）　吳質延祐四年，文安縣，詳

也先帖木兒　忽都帖木兒二人並大城達嚕噶齊。（據大城張志）　楊公甫至正年，大城縣達嚕噶齊，功在庠序。（據馬克忠文廟記）

韓若愚保定人，開會通河有功，遷知薊州，政績卓異，官至尚書，封南陽公，謚貞肅。（據薊州沈志名宦）　耶律有尚字伯強，至大年，知薊州。（據元史列傳）　趙伯敬密雲人，知薊州，

人，知涿州，剔奸吏。

趙勝剛 字宏毅，獲鹿人，知涿州，有政聲。

怯薛歹

也速 蒙古人，知涿州，抑强扶弱。

沙帝里

僧家佽 蒙古人，知涿州，興學勸農。

住 達嚕噶齊。（據房山佟志）

王傑 大德八年，縣尹。（據魏必復房山建學記）

張諒 縣尹。（據房山佟志）

史郁 字文鄉，河間東光人，房山縣尹，廉且能。（據房山佟志）

王從善 山東兗州人，至正十一年，知霸州，修隄堰十八里。（據同上）

傳。

廉且仁，修學宫。（據薊州沈志名宦）

張滋 宛平人，知薊州。（據薊州沈志）

法都忽

刺 蒙古人，知薊州。（據薊州張志）

唐兀台 至順年，薊州監郡。（據文廟碑）

也里不花　知涿州，有善政，民立去思碑。

劉德　字叔奇，徐州人，知涿州，明決有善政。（已上六人據涿州吳志）

直脱兒　涿州路達嚕噶齊。（據元史氏族表）

民安荅　延祐元年，達嚕噶齊。（據魏必復房山建學碑記）

王元恕　延祐元年，縣尹，修廟學。（據魏必復房山建學碑記）

哈魯丁

撒的迷　達嚕噶齊。（據學碑）

按：碑接民荅，任

當在延祐二年。

朱禮 字節文，大都開陽里人，至正五年，縣尹。（據房山佟志）

脫脫帖木兒 房山縣達嚕噶齊，詳傳。

也的迷失 達嚕噶齊。（據房山佟志）

明

盧聰州人。

程羽肅福建閩人，長于撫字。

馬縉字大紳，陝西蒲城人，剔蠹嚴。（已上三人據涿州吳志）

朱巽詳傳。

黃衡字士平，湖廣瀏陽人，

凌雲山陽人，舉人。

王安山西大同人，舉人。

吳紱江西宣城人，貢士。

盛澈河南襄城人，舉人。

郭岑山西大同人，舉人。

邱讓陝西涇陽人，貢士。

王傑山東

馬從龍畿輔唐志作隆，河南杞人，洪武二年任，入名宦。（據霸州朱志）

梁伯常洪武十六年任，築渾水沙隄八十里。（據霸州周志名宦）

張需詳傳。按：萬曆沈志需譌儒。

勒善山東

時習洪武年任，葺學撫民，入名宦。

尚肅山東齊河人，洪武年任，有善政，祀名宦。

劉瑾詳傳。

姚福詳傳。

鍾鉅浙江四明人，正統年

高進洪武中任，持身廉潔。（據大城張志）

陳必達洪武年任，興學校。

金鑄永樂年任，廉且敏，歷九載，遷知濟甯州。

崔鐸正統年任，請軍捕巨寇。（已上三人據大城

徐仲謙詳傳。按：日下舊聞考，徐譌張。

王孟原永樂五年任，築河隄。

楊汝誠詳傳。

王英山東益都人，進士，永樂十八年任，以仁恕著。

韓相山東

霍萃光緩催科，遷御史，祀名宦。

史素山西人，均徭，興學，祀名宦。（並據薊州張志）

汪溥詳傳。

劉愷滁州人，進士，弘治中謫，有剛明稱，遷福建僉事。（據薊州

王翥洪武中任，入名宦。（據平谷朱志）

王裕河南衛輝人，正統年任，廉甚，有善政，祀名宦。

劉讓河南孟人，景泰年任，勸種麥，民利之，名宦。

胡綱

王傑二

，景泰初任，修城池，有政聲。（據涿州吴志、于韜城隍碑）何轍 四川 合州人，監生。孫沂 遷自 訓導。胡禎 陝西 扶風人。按：涿州吴志禎作正，今据萬曆沈志。芮彝 南直 宣城人。

館陶人，貢士。韓倪 山東 高苑人，貢士。楊恭 山東 博平人，貢士。王崇美 浙江黄巖人，貢士。（十人據萬曆沈志、房山佟志）王敨 山西 崞人，貢士，政勤訟簡，勅命褒封，遷口府通判。

鉅野人，舉人，天順八年任，興學校。郝敬 河南 詳符人，舉人，成化元年任。李廷訓 山西太原人，舉人，成化四年任，修學宫。（據霸州周志）蔣愷 浙江 樂清人，十三年

任，修學校，祀名宦。何源 詳傳 。甄鐸 河南 詳符人，成化間任。劉縉 詳傳 。但芳 河南 上蔡人，成化年任。司馬學

張志）沈鑑 正統 年任。唐鏞 成化 年任。（二人據萬曆沈志）魏霖 成化 年任，修廢恤災。狄宗文 陝西甯州人，成化中任，遷宛平縣。閻茂 成化 中任。

博興人，監生。于皋 山東 招遠人，正統五年任，興學撫黎，祀名宦。宋益 河南 淇人，監生。王燧 山東 益都人，正統十四年任，有聲。范九德 山東昌邑人，舉人，天順六年任，積

張志名宦）馮琨 崑山 人。王浚 建德 人，進士。張義 山西 壽陽人，舉人。薊州沈志沿張志，義作儀，今據萬曆沈志。楊澤 山東 新城人，監生。六人，弘治年任。

人，成化年任。郭銘 成化 五年，修儒學。金梁 孔禎 姜學夔 進士，遷都察院經歷。三人，弘治年任。李鎰 詳傳 。高賢 弘治 年任。

孔淮 山東 莒人。
薛穰 浙江 鄞人，舉人。
李端 湖廣 興甯人，進士。
郭堅 陝西 静甯人。
汪清 河南 固始人。
張咨 字廷臣，山東商河人，成化間任，遷衛輝

（據房山佟志）
李垣 山東 曹人，舉人，（據萬曆沈志）按：房山佟志，列閻岱後。
閻岱 山東 泰安州人，舉人，廉且能。（據房山佟志）
張鎧 弘治十年任，詳東安縣丞表。
楊和 山東

任，修學宮。
劉永寬 湖廣江夏人，舉人，二十二年任，抗權要，節費愛民，祀名宦。
傅賢 山東 東平人，弘治二年任。
徐以貞 山東長山人，四年任，祀名宦。
毛實詳

弘治十一年任。
朱翰 山東 曹人，十五年任。
李鎰 詳傳。
朱朝聘 陝西人，舉人，正德三年任。
白錦 山西 人，舉人，五年任。
王鼎 字公實，山東人，八年

張津 廣東 博羅人，進士，弘治三年任。
黃世忠 福建長樂人，弘治年任。
安佑 四川 嘉定州人，進士，十六年任。
張暭 詳傳。
魯念 湖廣 永安人，進士，正

弊一清。（已上據保定成志）
彭鎬 詳傳。
苗惠
鍾啟
吳政
王聰（四人據萬曆沈志）
周同軌 成化十一年任，詳縣丞表。
李瓛 河南

茹紹賢 陝西鳳翔人。
劉永安 陝西鄠人，舉人。
堅晟 南直 泰州人，監生，後調通判。
陳文昭 山東濮州人，進士。
王燧 山西 忻州人，舉人。五人，正德年任。

劉澐 正德年任。
吉人 山西 臨汾人，正德間任，遷通判。按：明史，吉人附湯鼐傳，非一人。
趙鼐
陳以道 河南湯陰人，舉人，並正德年任。
王謙 山東 高苑人，監生，嘉

知府。王震河南滎陽人。張遜字時敏，南直無錫人，舉人，成化二十一年任，勤民事，修志，遷知福州府。（據涿州吴志凡例）王政陝西涇陽人，舉人。何政按：涿州吴志政作

武城人，舉人。（據房山佟志）曹俊詳傳。程勉學陝西寶雞人，舉人。（據碑記）李仁山東甯海人，貢士。劉紀　李時敘貢士。畅廷弼

傳。劉珩山東蒲台人，十年任，祀名宦。趙琮山東滋陽人，正德二年任。錢鏞浙江桐鄉人，舉人，四年任。郭坤山西高平人，六年任，不畏權禦。

任。李雲遷自平谷丞，詳平谷丞表。按：文安楊志奪。劉翰陝西耀州人，舉人，嘉靖四年任。李時中山西平定州人，舉人，七年任，興學儲穀，十三年，民保留復任。

德年，以剛正稱，遷口部主事。胡永芳河南汝陽人，舉人。張汝舟詳傳。王朝山西隰州人，貢士。石恩字伯榮，山東青州人，七年任，修學，修城垣。

宜陽人，監生，成化年任。王惠山西潞州人，成化十七年任。姚讓浙江嘉興人，監生，十八年任。高愷南直沛人，監生，二十一年任。張泰山東棲霞人，二十四年

俞召浙江餘姚人，舉人。按：俞，張志譌愈。王爵山西人，舉人。魏河河南人，舉人。周宗鎬舉人。蔡賢河南人，舉人。蒙蓁河南

靖二年任。湯秀山東靖海衛人，監生，六年任。高錫遼東人，監生，八年任。趙漢山西代州人，十年任。曾惠陝西咸甯人。種雲龍陝西咸甯人，舉

正。
郝本　山西陽曲人，進士。
徐朝元　河南汲人，進士。
孫學　山東鄆城人，舉人。
李瑋　河南南陽人，舉人。
劉瑄　字廷璽，鐵嶺人。
劉坦　字治平，山東章邱人，

陝西人，貢士。
木潔　山東章邱人，舉人。
高遷　（五人據萬曆沈志）按：遷，房山佟志作邁。
李鳳岡　陝西岐山人，貢士。（據房山佟志）
張汝能　山東歷城人，舉人，嘉靖間任，修學

張祿　河南汲人，舉人，八年任，遷南康府同知。
王汝翼　陝西富平人，舉人，八年任。
高鵬　湖廣澧州人，十一年任。
戈泰　雲南騰衝人，舉人，十二年任，遷重慶府

郝人英　山西遼州人，舉人，十一年任。
段章　陝西蒲城人，貢士，十五年任。
張經　江西新喻人，舉人，十六年任，丁憂。
姜□　舉人。
仇□□　南直廬州人，貢

楊勳　山西長子人，舉人。
高廷璋　陝西臨潼人。七人正德年任。
楊福　山西太原人，貢士。
侯勳　山東安東衛人，貢士。
郭振　山東黃人，貢士。
任大倫　山西汾州人，舉

任。
趙徵　浙江上虞人，監生，弘治六年任。
王大輅　河南新鄭人，十三年任，勤教養，保定成志入循良。
傅義　四川閬中人，十八年任。（已上據保定成志）
王佑　（據萬曆沈志）

人，舉人。
王浩　陝西，舉人。
彭杲　江西人，舉人。
沈文玉　河南人，舉人。
張宗明　山西人，舉人。
汪泓　直隸人，舉人。
劉邦聘　陝西人，舉人。

人，十五年任。
榮冕　山東新城人，舉人，十五年任。
許詠　山東濮州人，十七年任。
岳朝用　遷自薊州判，詳傳。
曹永年　陝西岷州人，監生，二十二年任。

正德年任。按：涿州吳志，坦上衍禄字。
陳禄 陝西　咸甯人，舉人。
劉佺
黃仁
張經綸　山西代州人，進士。
沈麒
駱鳳 山東　齊河人，舉人。

宮。（據佟志、陳以勤學碑記）
高蘭 北直　曲陽人，舉人。
楊環（二人據萬曆沈志）
鄧宇 詳傳。
王崇學　坿鄧宇傳。
王宷
石嵐（二人據萬曆沈志）

同知。
彭公溥　河南靈寶人，舉人，十六年任。
衛賢 山西　翼城人，舉人，嘉靖中任。
閻祺 山東　招遠人，舉人，遷開封同知。
劉璋 陝西　中部人，舉人，嘉靖中任，多所建

士，十九年任。
張經 二十　年再任。
何世璧　陝西秦州人，舉人，二十三年任。
孫哲 山東　汶上人，貢士，二十五年任。
溫尚武　山西祁人，二十八年任，鋤强植弱，遷大興。

人。
朱文俊　江南崇明人，貢士。
鍾秀 江南　人，貢士。
蕭韶 河南　嵩人，貢士。
鄧金 江南　六安州人，貢士。
吳璞 山西　代州人。

崔勝 河南　人，正德四年任。
毛麒 山東　人，六年任。
何濟 山東　人，十年任。
崔義 山西　沁水人，監生，嘉靖三年任。
段良善　山西人，監生，七年任。
史周 山西

胡方來　浙江人，舉人。
宗瑠 陝西　人，舉人。
馬豸 山西　人，舉人。
王明汲　河南人，舉人。十六人，嘉靖年任。
喬橋 山西　人，舉人。
王都 山西

姚湛 遼東　瀋陽衛人，舉人，二十四年任。
王椿 山東　平度州人，監生，二十五年任。
辛存惠　陝西階州人，監生，二十六年任。
楊翼龍　河南襄城人，舉人，二十九年任。
王國治

郭孔完
范琪 山西澤州人，舉人。
陳邦治 湖廣應城人，舉人。
閻在邦 山東歷城人，舉人。
秦僎 正德間任。（據畿輔唐志）
何鑌 遼東

按：房山佟志奪。
李琮 詳傳。
董漢儒 萬全人，貢士。（據房山佟志）
陳廷訓 詳傳。
馬永亨 自本邑訓導遷，詳訓導表。
王育才 山西陽曲人，舉人，

立。
高光烈 遷自州同知。
荆晟 山西猗氏人，舉人。
徐用良 山東濱州人，舉人，嘉靖中任。
陳世輔 詳傳。
董緒 遷自州同知。
王紹 遷自

竇金 陝西西安人，舉人，三十一年任。
胡方來 浙江山陰人，舉人，三十三年任。
王業 陝西高陵人，進士，三十六年任。
徐之蒙 山東濱州人，舉人，四十年任，歷保定同知。

王應文 山西代州人。
史簡 山西稷山人，貢士。
昌元正 詳傳。
楊臬 陝西咸甯人，舉人，丁憂。已上十三人，嘉靖年任。
王文政 山東濰人，進士，嘉靖三十三年任。

人，監生，十一年任。
李華 十三年任。
冉崇儒 河南中牟人，舉人，十五年任，課農課士，保定成志入賢良。
王奉 山東登州衛人，十八年任。
汪本沂

人，舉人。二人，隆慶年任。
王弘儒 山東人，舉人。
蔣士元 南直隸人，萬曆年任，遷濟南同知。
崔汝孝 山西人，舉人。
賈濬 陝西人，舉人，萬曆間任，升山西大同府同知。

山東觀城人，三十年任。
丁鈇 詳傳。
孟鏜 河南洛陽人，舉人，三十二年任。
馮思忠 山東高苑人，監生，三十四年任。
陳珂 湖廣人，監生，三十六年任。

人，舉人。

賀榮 陝西神木人，舉人。

張九功 陝西人，舉人。

郭逵 雲南寗州人，舉人。（三十九人據萬曆沈志）

李愚 山西人，舉人。

邵元善 舉人。

二十五年任。（據房山佟志）按：萬曆沈志奪。

俞萬策 陝西廣寗人，舉人。（據萬曆沈志）按：房山佟志萬作方。

井鳳翥 河南襄城人，貢士。

左之龍 山東萊陽人，舉

州同知。（已上據萬曆沈志、霸州周志）

郭份（據萬曆沈志）按：霸州周志奪。

張嘉秀 遷自州同知，後遷任饒州府同知。（據萬曆沈志、霸州周志）

耿朝用 陝西功武人，舉人，嘉靖中任。按：

王之弼 陝西涇陽人，舉人，四十三年任，遷密雲道。

吴南江 山東觀城人，貢士，隆慶元年任。

趙雲翔 山東平陰人，進士，三十年任，官至陝西副使。

李錦製 山西榆社人，舉

余尚貢 遼東人，舉人，四十一年任。按：日下舊聞考余謅全。

張應武 詳傳。

胡子方 浙江人，舉人，隆慶年任。

趙德光 詳傳。

忽鳴 陝西蒲城人，舉人，五

湖廣當陽人，監生，十九年任。

胡允恭 河南光州人，監生，二十年任。

呂焕 字堯文，浙江崇德人，二十六年任。

尹樂堯 河南鈞州人，舉人，三十年任。

田充國 陝西渭南人，舉

喻思恪 四川人，舉人。

陳良知 山東人，舉人。

黎民化 舉人。

單自新 山東人，舉人。

鍾起鳳 浙江人，舉人。

呂繼梗 浙江人，舉人。

李堂 山西

吴廷翰 詳傳。

王淩漢 山西忻州人，舉人，三十九年任。

任彬 山西蒲州人，舉人，四十年任。

曹省 山東人，四十三年任。

瞿懋 四川墊江人，進士，隆慶二年任。

岳汴 字榆川，陝西延安人，萬曆間任。 沈應坤 詳傳。 苗柟 蘇州人，廉且能，勤修建。 王錫三 王師性 福建晉江人，有政聲。 王道定

人。 許有節 南直宜興人，舉人。 張惟康 山西蒲州人，舉人。 朱萬壽 雲南陸涼衛人，舉人，調知武清。 李廷幹 陝西人，進士。 楊昆祚

用，霸州周志作臣，今据萬曆沈志。 毛沂 雲南布衛人，舉人。 趙應式 河南鄢城人，舉人。 唐交 遷自州同知，調大名府同知。 劉德芳 遷自州同知。 王麒 湖廣

人，四年任。 史天佑 山西澤州人，舉人，五年任，創修大隄百五十里。 閻漳 山東蓬萊人，進士，萬曆二年任，調知平谷。 王湘 四川富順人，進士，四年任。 党傑 陝西

年任，重修邑志。 趙汝思 李知春 並萬曆年任。 狄同烇 詳傳。 劉[illegible] 河南人，進士，萬曆十一年任。按：[illegible]，大城張志譌杲。 汪如川 江南黟人，貢士，十三年任。

人，二十七年任。 王用 河南汝陽人，舉人，三十八年任。 李顯陽 貴州貴陽人，舉人。 翟守謙 廣西桂林人，舉人，四十六年任。 張世蓁 山東曲阜人，監生，隆慶二年任。

人，舉人。 鄧于安 舉人。 周一史 山東人，萬曆年任，課士撫災，祀名宦。 陳情 遷自文安知縣。 楊忠裕 直隸人，舉人，州志：去任，祠祀之。

樊秬 陝西永春人，監生，三年任。 劉愛 陝西欒川人，歲貢，四年任。 張四科 江南汝陽人，舉人，萬曆元年任。（已上據萬曆沈志，參平谷朱志） 閻漳 調自文安，遷刑部主

山東人。

陳禹謨　湖廣彝陵州人，有善政。

錢兆閶　字子藩，南直通州人，舉人，興學撫黎。

賈一敬　河南光州人，舉人。

孟召　雲南甯州人。

雲南泰和人，舉人。

張肇林　詳傳。

單可久　陝西蒲城人，舉人，遷薊州。

袁作相　河南長葛人，舉人，遷保定通判。

楊齊芳　陝西三原人，舉人。

宣城人，舉人。十七人，嘉靖中任。

袁廷相　河南陳留人，嘉靖中任，廉謹有吏才。（已上據霸州周志）

張雲鷟　陝西涇陽人，舉人，嘉靖四十二年任。（據雲鷟大城學宮記）按：萬曆沈志奪。

城固人，九年任，慈且慎，考選南京貴州道御史，文安楊志入名宦。

官延澤　山東平度人，舉人，十一年任。

薛繼茂　雲南永昌人，進士，十七年任。

杜思望　山西猗氏人，進士，二十年任。

徐東漸　山東齊河人，舉人，十四年任。（已上據萬曆沈志）

李承槐　湖廣麻城人，進士，十六年任。

何偉　江西新喻人，進士，二十一年，降自給事中。按：萬曆沈志，有何無李。

任彥藥

劉樞　遼東人，舉人，四年任，卒于官。

趙友仁　雲南建水人，舉人，六年任，遷貴陽通判。（二十一人據萬曆沈志）

謝明教　陝西藍田人，舉人，萬曆二十年任，遷知山西岢嵐州。

孔承倜

饒景暘　江西人，舉人。

郭喬　陝西人，舉人。十七人，萬曆年任。

戚延齡　山東人，舉人，萬曆四十三年任。（據綱目三編）

劉嘉會　山東人，舉人。

單可大　山西□□縣人，舉

事。按：閻，平谷，朱志作閆，今據文安楊志。

李國觀　湖南襄陽人，進士，四年，行取南京兵科給事中。

王宏業　山西平定州人，舉人，十年任，遷保定府通判。

梁宜生　山東鄆城人，進

丁三益　山東汶上人，舉人。
史紀陳　雲南鶴慶州人，舉人。
劉起龍　雲南人，舉人。
左之似　山東萊陽人，舉人，折積年獄，善撫綏。
晉承恩

郭法　山東單人，貢士。
方見道　陝西綏德州人，舉人，遷知滄州。
朱國佐　山東滋陽人，舉人。
王用楫　山西澤州人，貢士。
唐陛　山東萊陽人，貢士，建

徐化　山東青州人，舉人，嘉靖中任。
蘇烈　山西清源人，舉人，嘉靖中任。
蘇烈　山西清源人，舉人，嘉靖中任。（二人據霸州周志）按：萬曆沈志蘇作范。
田可徹　河南上蔡人，舉

岳儲精　詳傳。
陳情　山東平度州人，舉人，三十一年任，役富卹貧，遷知薊州。
郭允厚　山東曹縣人，進士，三十五年任。
高應元　山西人，舉人，三十八年任。
崔儒秀

山東任城衛人，進士，二十三年任。（據王圖永城隍碑記）
汪桐　雲南昆明人，舉人，二十八年任，却羨餘，革積弊。
蘇宇庶　三十一年，由保定調任，詳保定表。
康大壯　山東章邱人，舉人，三十二年任。

山東曲阜人，孔子六十代孫，選貢，六年任。
王準　陝西同州人，舉人，十二年，調平谷。
賈生漢　河南裕州人，十三年任，遷知秦州。
林一貫　山東茌平人，監生，十七年任，遷楊郵管河通判。

人。已上二人，萬曆年任。
鄭爵冠　福建龍溪人，舉人，天啟年任，積勞嘔血卒。
劉繩祖　河南人，舉人。
趙三極　山西永甯人，舉人。三人，天啟年任。
戴文箕　福建人，舉人。

士，十一年任，遷户部郎中。
王準　二十年，自保定知縣調任，遷知應州，詳保定表。
趙光遠　山東冠人，進士，十七年，調刑臺。（六人據平谷朱志）按：萬曆沈志奪。
李廷相

山西洪洞人，舉人。

羅顯行　浙江甯波人，舉人。

劉曰珩　字間雲，江西高安人，民立祠祀之。

陳廷策　江西高安人。

王四維　山西河曲人，拔貢，天啟年任。

石堤，未竣去。

郭寬　山西人，貢士。

姜荃林　江西人，進士，任半載，有善政，考選禮科給事中。（十八人據房山佟志）

人，隆慶元年任，勤敏有聲，修城。

范啟光　山西洪洞人，舉人，五年任，興學儲穀，折獄執法，左遷順義知縣。

郝如松　陝西綏德州人，進士，萬曆二年任，修學宮。（據萬曆沈志）按：霸州周志，如作汝。

戴九玄

鄭之僑　三人，詳傳。

楊夢龍　山西壺關人，舉人，泰昌元年任，有善政，調簡，父老遮道。

□□□　雲南永昌人，進士，天啟四年任。歷吏部郎中。

□□□

趙國華　江西南昌人，舉人，三十五年任，塞賄竇。

梁綱　詳傳。

何京　四川內江人，舉人。四十二年任，廉而惠。

高甲撰　雲南臨安衛人，舉人，四十四年任，

張以重　山西代州人，二十年任。

張四聰　山東滋陽人，二十四年任。

蘇宇庶　福建莆田人，進士，二十九年任，調大城。

閻國魁　山西太原人，舉人，三十一年任，三

黃應祥　雲南人，舉人。

王治鼎　河南人，舉人。

姚啟朱　貴州人，舉人。

王弘祚　雲南人，舉人。

張熁乾　山西人，舉人。

李永昌　遼東人，貢士。七人，崇禎年任。

江南望江人，舉人，二十年任。（據萬曆沈志）

吳之美　字汝玉，江南武進人，選貢，二十二年任。

趙永志　山西忻州人，舉人，二十八年任。

李爲梁　四川江津人，進士，三十一年任。

劉維正 字熙老，湖廣安陸人，進士，崇禎中任。

陸燧 江南人，進士。

李國俊 山西芮城人，進士。

黃錕 字麗南，山東臨清人，舉人，政寬恕，歷潮州知府。

喬密 陝西同州人，舉人，萬曆四年任。

張嶢 河南衛人，舉人。

趙坰 山東萊陽人，恩貢，遷淮安同知。

孫温如 山東濱州人，進士，調山西吉州。

李宮 浙江永嘉人，舉人，調

河南寶豐人，進士，五年任，六年，修黑牛口隄。

唐紹堯 詳傳。

秦世英 陝西三原人，崇禎三年任，調密雲。

龍德正 湖廣漢陽人，舉人，四年任。

李時 山西解州人，舉人，五

以明決著，重學校。

胡應聘 河南潁州人，舉人，天啟元年任。

安所性 河南湯陰人，天啟二年任，重士撫民。

劉景耀 字嵩曙，河南登封人，進士，三年任。

十四年調撫甯。

駱行健 河南夏邑人，選貢，三十四年任。

田龍 詳傳。

陳廷策 詳傳。

陳諫 陝西涇陽人，舉人，四十七年任。（已上據保定成志）

劉策 字范

（已上據薊州張志）按：萬曆沈志，俞召後止賈濬一人。

王國昌 雲南永昌人，選貢，三十二年任。

楊譽 山西忻州人，舉人，三十三年任。

戚延齡 山東人，貢生，三十九年任。

丁士慶 山東霑化人，舉人，四十年任。

齊志道

吴同春 字永修，永定人，舉人，有善政。 李藻 詳傳。 劉三聘 山西甯鄉人，進士。 劉芳久 永定人。 張應時 （三十人據涿州吴志）

湖廣隨州。四人並萬曆中任。 陳良知 詳傳。 許從坤 陝西人。 錢達道 南直常熟人，舉人，修學宫門坊，遷兖州府同知。 楊萬廉 福建人。 楊澗 河南

年任。 符爾 四川富順人，貢士。 張上春 山西壺關人，舉人，七年任。 王鑰 詳傳。 殷逢世 陝西漢陰人，舉人，十二年任。 張其勳 陝西富平人，舉

孫應對 貴州人，舉人，崇禎元年任。 吴啟瑞 河南洛陽人，舉人，四年任。 毛雲翰 山西太平人，舉人，六年任。 李長年 湖廣麻城人，貢士，八年任。 武維周

董，山東武定人，萬曆辛丑進士，後總督薊遼。（據明史列傳） 李恩 由霸州判官署（據霸州周志） 尋向上 陝西藍田人，歲貢，天啟元年任。 章明德 雲南鶴慶州人，□□□年任。

陝西鄜州人，四十六年任，有善政。（據平谷朱志名宦） 趙思睿 山東霑化人，貢生，天啟二年任。 李大本 山西臨汾人，舉人，三年任。 田所賦 山東昌樂人，進士，四年任。 張拱極

人，廉明有聲。段承業山東人。孫曰嚴山西人。葉繼龍　陳廷策遷自保定知縣，詳傳。謝子詔江西人，萬曆年任。已上萬曆年任。

人，十三年任，官至吉安知府。徐鳴岐浙江人，監生，十五年任。林文薦山東掖人，功貢，十六年任。（已上據文安楊志）

詳傳。李藻山西高平人，舉人，十二年任，官至通政。李松年陝西三原人，舉人，十三年任。（已上據大城張志）

劉家龍山東福山人，恩貢，四年任，遷知霸州。黨還醇詳傳。常維翰詳傳。丁雲鶴山東人，五年任。韓文焞陝西涇陽人，舉人，六年任，修城。

山西霍州人，舉人，五年任。張泰山西猗氏人，舉人，七年任。劉明彥陝西郃陽人，貢生，崇禎二年任。馬獻圖河南伊陽人，舉人，三年任。丁茂桂山東壽光人，貢

宿逾嵩

陳于廷　陝西人，天啟中任。

張大行　陝西人，天啟中任，清執，調深州。

江朝賓

張盤

王國士　山西人。

朱朝藩　雲南人。

李應賢　陝西吳堡人，恩貢，七年任，劾去。

王佩弦　山東青城人，歲貢，八年任，調東安。

李藻　字慶餘，山西高平人，舉人，十年任。

楊佩　山東濟甯州人，舉人，崇禎十三年任，十

生，四年任。

王奠民　遼陽人，貢生，九年任。

李豔　四川梓潼人，貢生，十一年任。

王宏祚　陝西三原人，十二年任。

周攀第　四川内江人，舉人，十四年任。

劉家龍 遷自保定知縣。

朱時光 雲南人。

丁師羲 坿趙煇傳。六人，並崇禎中任。(已上據霸州周志)

毛實增 修普和寺隄。(據日下舊聞考) 其世次未詳，故坿此。

五年閏十一月，城破，死之。

何肇元 江南武進人，進士，十六年任，行取至京，棄職歸。(二十五人據保定成志)

(二十人據平谷朱志)

以下佐屬

唐	吉逾 范陽 縣丞。（據元和四年雲居上寺詩刻）						李瓊 薊州 人，李承約曾祖，薊州别駕，贈工部尚書。（據舊五代史承約傳）	
五代	安叔平 天成初，判涿郡。（據册府元龜三百八十七）後唐。 趙簡章 涿州司馬。（據宋史趙上交傳）後周。		張勳 河南 洛陽人，世宗以爲霸州兵司都監。（據宋史列傳）後周。					

	宋
扈洋蒙曾祖，涿州別駕。（據宋史扈蒙傳） 李英涿州從事。（據宋史李瓊傳）	
	趙延溥太平興國年，判霸州。（據宋史趙晁傳）餘詳統部佐屬。
	蘇洵四川眉州人，嘉定五年，主簿，教民課農。（據歐陽修故文安簿蘇公墓誌銘）

			盧斌開封人，太宗以爲霸州破虜軍緣邊巡檢。（據宋史列傳）					
遼	劉原德乾亨元年，涿州判官，以城降宋。（據涿州吴志）						李仲宣薊州判官，恤民愛士。（據薊州張志名宦）	
金	蘇爾坦貞祐二年，同知涿州事，詳州表。		王倚皇統二年，同知霸州，見先賢傳。 成奉先				趙元天會間，同知。（薊州張志名宦） 趙子滌	

，霸州司候，大定十一年，世宗聞成奉先謹恪，進一階，除固安令。（據金世宗紀）

天會年，同知薊州。（據文廟碑）

洪果玖珠（原作黃攔九住），臨潢人，明昌四年，同知薊州軍事。（據金史列傳）

元

張珪 皇元六年，涿州判官，詳先賢傳。

秃魯沙 同知涿州。（據蔡欽

楊政 大德初，房山縣主簿，坩牙忽傳。

木八剌 大德初，房山縣

劉温 天曆元年，判霸州。（據霸州志）

崔孝恭 元貞二年，霸州判

姚元 至大年，主簿。（據尚野修學碑）

王文允 主簿。

李享 至正年任。

劉瑞安 州同知，遷自三河知縣。（據三河縣志）

蘇天爵

范恕 元統年，主簿。

重修孔子廟記） 呂忠　涿州幕賓。（據同上） 王元孝　涿州幕賓。（據同上） 嘉琿達　天曆元年，同知涿州。（據同上） 阿里沙　同知涿州，詳傳。 蘇天爵　延祐四年，授涿州判官。（據元詩滋溪
尉，坩牙忽傳。 史忠　大德八年，房山縣主簿。（據魏必復房山建學碑記） 小云失的斤　大德八年，房山縣尉。（據同上） 伯住　延祐初，房山縣主簿。（據房山建學碑記） 張彥澤
官，修學宮。 宋顯　至正十年，霸州吏目。（據霸州周志）
張瑛　皇慶年，縣尉。（據尚野修學碑） 榮進　典史。（據文安楊志） 楊英　典史。（據霸州學碑）
，薊州判官，詳統部表。 耿朶羅歹 孫文矩　二人，至順年，同知薊州。（據文廟碑） 劉禧　至順年，薊州判。（據文廟碑）

集）

延祐初，房山縣尉，據同上。

歸童縣尉。

楊進義

史將任

黃景元三主簿。

李榮

賈文郁

王居敬

董禄

唐策

	明
	汪清字景清，浮梁人，舉賢良方正，同知州事，以廉敏稱。州同知，下三十一人同。 張璣浙江黃巖人，監生。
劉琛 王弼七典史。（已上十人據房山佟志）	劉璟縣丞，下十八人同。 靳宗 于亮 王鰲 陳禮 宋欽 張博古
	湯鑑同知，下四十二人同。 林文廸 林治 郭檄 劉進 李暹 陳瓘
	鄧士隆洪武初任，創修縣治。（據文安楊志）縣丞，下七人同。 傅卂 謝九皋二人，正德年任。 王景沂
	王繼洪武年任，兵燹後力于修建。縣丞，下二十五人同。 劉僖正統年任。 呂釗天順年任。
	李爾瞻洪武年任。縣丞，十二人同。按：萬曆沈志奪瞻字。 姚斌永樂年任。 何志廣
	周臣通州人，進士，萬曆年任。同知，下十五人同。 岳朝用遷知平谷縣，詳傳。 周進
	于文縣丞，下二十人同。 趙福並弘治年任。 李雲陝西米脂人，正德間任，遷知文安縣。 劉鉞

張旻 浙江 歸安人，監生。

高震 陝西 清澗人，監生。

王濬 陝西 安化人，景泰二年任，馬政無曠。（據于韜涿州城隍碑）

江華 南直 潁上人。

邢繼先 陝西南鄭人，嘉靖年任，州志成，分

李浩

劉邦輔

劉漢

張鏜

王希哲（十二人據萬曆沈志）按：房山佟志奪。

王範 詳傳。

吳秀

張守道 山東青城人，貢士。

王廸

郁欽

陳紀

陳琮

陳孜

王璜

劉璋 遷知州，詳傳。

高光烈 山東膠州人，舉人，嘉靖中遷知州。

董緒 山東濱州人，舉人，遷

坿王鼎傳。

袁士賓 嘉靖年任。

張騰霄 嘉靖年任，修堰水隄。

牛顯

周道 並隆慶年任。缺裁。

宜文智 正德年任主簿，下十七人同。

孫鑑 嘉靖

李義

李翰

張純 江南 鳳陽人。三人，成化年任。

吳昂 山東 堂邑人，廉且正。

崔海 山東 濮人，弘治年任，以廉明著。

王純 山東 泗水人。

裴睿 山東

湖廣巴陵人，監生，景泰二年任。按：萬曆沈志奪廣字。

續任 山西 翼城人，監生，成化五年任。按：任，保定成志作佐。

馬馴 河南 孟津人，監生，十年任。

宋本 湖廣

王儒

任伯進

傅江

張通

石文

虞德煒 並萬曆年任。（已上據萬曆沈志）

姜鼎 萬曆年任。（據文廟碑）

方氺 浙江 淳安人，進士，轉

宗澄 並正德年任。

張選 山東 陽信人，監生，嘉靖八年任。

周冕 廣西 人，監生，十年任。

辛錦 山西 人，監生，十六年任。

趙夔 陝西 人，監生，十九年

俸錄木。按：涿州吴志，此後又列之馬雲詔下，當是再任。
蕭翬 四川 人，監生。
徐珪 江西 德安人，嘉靖年任。
周璽 山東 曹人。
李倫 山西 聞喜人。並隆慶年

劉韓
任璋 陝西 渭南人，貢監。
呂進德 （五人據房山佟志）
蕭瑞 （據萬曆沈志）按：嘉靖中裁。
胡用賓 主簿。按：宣德中裁。
王旭 南直 吳人。典史，下

知州。
王詔 陝西 西安人，舉人，遷知州。
張嘉秀 浙江海鹽人，進士，遷知州。
唐交 山東 東平州人，舉人，遷知州。
劉德芳 山西陽曲人，舉人，遷知州。

初任。
荊廷解 嘉靖年任，清丈地畝，民利賴之。
唐時化 南直江都人，萬曆初任。
王咸恆 河南鎮平人，監生，二十八年任。
袁一化 陝西西鄉人。
湯志義

曹人。
張思睿 河南睢州人。
趙鼎 山西 岢嵐人。四人弘治年任。
王琛 陝西 汧陽人。
崔天爵 山西陽城人。
焦裕 陝西 合水人。
苟良 陝西

辰州人，監生，十三年任。
劉誠 按：保定成志奪。
劉潤 山東 人，監生，十七年任。
卜廉 南直 高郵州人，監生。
陳昭 監生，弘治四年任。
張巖 八年任。

自行人，絶賄賫，省催科，丁艱，民遮道，名宦。
梁誠 山東 武城人，舉人，政無矯飾，名宦。
楊通 山西 蒲州人，萬曆年任，令出必行，遷陝西鞏昌通判，名宦。（三人據薊州張志）
周臣 詳傳。

任。
高謙 遼東 人，監生，二十二年任。
魯森 浙江 餘姚人，吏員，二十四年任。
宋漢 山東 平原人，監生，二十五年任。
林莘 南直 六安州人，吏員，三十二年任。

任。
宋輅 萬曆年任。(已上據萬曆沈志)
宋勝正 江西人。(據涿州吴志)
李惟中 山西人,恩貢。(據萬曆沈志)
徐道亨 南直崑山人。
周國廉

二十七人同。
張温 南直泰州人。
辛彪 山西霍州人。
冬昊
薛宣 河南中牟人。
王相 山東臨邑人。
曹鑑 山東武定人。
李文正

王凝
李曰雍
吴希夷
吴舟
崔子鼒
蔣廉
仇勝
鞏晟
李棠
楊文
陳炯
鄧文茂
曾訓

浙江武義人,例貢,三十六年任。
楊孔儒 山東壽光人,三十八年任。
喬仕 陝西富平人,四十一年任。
王文道 浙江義烏人,吏員,四十四年任。
李銘 福建建安人,監生,四

醴泉人。
周宗 山西天城衛人。
薛韶 山西河津人。
王瓚 河南永甯人。七人,正德年任。
劉思 山東德州人,吏員。
張元吉 山西平定州人。
白鎮 山西

楊麟 山西平定州人,監生,十二年任。
張學 山西安邑人,萬曆二年任。
何珪 主簿,成化十三年革。
周本初 洪武十四年任。典史,下四十八人同。
李茂清

錢懋勛 南直隸人,廉且勤,有賢佐目,祀名宦。
吴萬里 永樂初任,政有聲,名宦。(據畿輔唐志)判官,下二十一人同。
湯敬禮 字仁甫,丹徒人,刑科給事中,正德初,劉瑾銜之,謫

任約 陝西人,監生,三十五年任。
李春光 山西武鄉人,監生,三十八年任。
林朋 浙江慈谿人,吏員,三十九年任。
楊堯官 山西陽城人,監生,四十一年任。
劉繼科

江西建昌人，拔貢。
張兗 湖廣應城人。
秦登 南直吴人。
王勝陽
楊儒
許宏綸
張士賓 江西德化人。
萬欽
岳敏中

李槃 山東恩人。
陳浦
朱景鉉
李隆
劉實
李實
張天福
李逢陽
張德才 陝西渭南人。
張守祖 山東人。

姚熙
喬祺
黃鵬
邱繻
何鉦
王建 遷自州判官。
陰行仁
梅元豐
曹鉷 萬曆年任。
王寵 萬曆年任。州同知。

十七年任。
敖惟鏜 四川榮昌人，監生，天啟元年任。
張應龍 浙江會稽人，四年任，遷□□經歷。
樊汝祉 陝西洋縣人，監生，六年任，遷□□經歷。
馬胤昌 山西人，崇禎年

平定州人。
林堂 遼東人。
但章
田瓚 陝西富平人。
錢玟 江南蘇州人。
郭寶
宋繩武 河南葉人。
詹如金 浙江常山人。

（已上據萬曆沈志）
任聰 永樂九年任。（據保定成志）
劉旺 山東人。
聶通 陝西人。
李潔 山東人。
武賢 山西沁水人，天順七年任。

薊州判官。（據明史列傳）
張麒 山西洪洞人。
馬瑾 山西嵐縣人。
盧緒
王忠（並據萬曆沈志）
李承芳 積牘盤然，入名宦。（據薊州張志）
霍通

陝西西和人，監生，四十四年任。
范秉瑞 浙江人，吏員，隆慶元年任。
張鑰 遼東人，監生，三年任。
劉一鶴 隆慶年任。按：萬曆沈志，范、張、劉，列之嘉靖年，非。

牟道立河南
王璟河南陝州人。
喬承誥
張星耀
冠永清
朱一卿
按：石端爲天順間以都指揮同知守涿，非州同知也，吳志列之朱一卿下，誤。
黃巖

盧仕河南信陽州人。
馬得仁浙江會稽人。
袁德松南直宿松人。
王民重浙江人。
王應朝浙江上虞人。
丁銓南直人。
郭汝孝

（四十三人據萬曆沈志、霸州周志）
李叔濟洪武三年州判。
判官，下五十六人同。
楊景雲南安甯人，洪武中任。
張子芳洪武年任，修隄。
林白雲洪武中任，修隄。

任。
許允中山西人，附生，九年任。
安衡王埘鑰傳。
駱曰盛浙江義烏人，吏員，十一年任。
萬億正德年任。典史，下十七人同。
周嵩嘉靖

蘇純山東濮州人。
苗溱山東武城人。
趙克仁陝西富平人。
王用聘山東博興人。
于克肖山東濰人。
王桂浙江人。
龍民芳

王珪四川仁壽人，成化二年任。
師銘十三年任。
劉順十九年任。
廖祥弘治二年任。
高福
荆綸八年任。
牛埜陝西

陳廷敬
薛安
韓富
劉好學
曲傑
江海
徐好學（已上據萬曆沈志）
馮景隆浙江山陰人，萬曆丁丑，進士，給事中謫，州判官。（據明史埘劉臺傳）

劉溶典史，下三十五人同。
馬璿並弘治年任。
陳弼
胡冠
席會三人正德年任
何榮陝西人，嘉靖六年任。
侯瑤南直淮安人，八年任。
薛禮山東

馬雲龍
王瓚 詳傳
。判官，下五十六人同。按：此與州同非一人，萬曆沈志奪。
杜璟 南直 丹徒人。
陳旭 南直 繁昌人。
王懋 山西 潞州人，監生。
仇本立

山東東阿人，萬曆年任。
董鳳儀 萬曆年任。（已上據萬曆沈志）
楊時 陝西 涇陽人。
李國望 陝西武功人。（二人據房山佟志）
孫修業 磁家務巡檢。下七人同。

（四人據霸州周志）按：萬曆沈志奪。
閻茂 山西 朔州人，舉人，遷知口縣。（據萬曆沈志、霸州周志）
竇芳
滿昌
朱錦
朱宗
侯芳（五人據萬曆沈志）按：霸州周志奪。

年任。
左紘 隆慶 年任。
焦文學 南直山陽人，萬曆年任。
駱有禮 湖廣黃岡人，二十七年任。
饒良佑 江西臨川人，三十一年任。
鄧正美

江西太和人。十七人，嘉靖年任。缺裁。
周自銘 洪武年任，招撫流離。主簿，下四十八人同。
陳安 成化 年任。
蔡思齊 成化年任。
高謙 弘治 年任，不事依阿，

人，十六年任。
安憲 山東 人，正德四年任。
江珠 蕪湖 人。
張莞 浙江 人。
劉仲秀
夏九皋
侯永祚
梁尚賓
趙國盛
党世雄

盧容
何永貞 二人萬曆年任。（據文廟碑）
周弼
張浪
徐士龍 並萬曆年任。
高安 吏目，下七人同。
張文
潘本勤
張聰

德州人，十三年任。
張景榮 山西應州人，十二年任。
楊瀚 陝西 鄜州人，十七年任，絕賄，捕盜嚴，平谷朱志入名宦。
劉仲福 詳傳。
胡鳳 南直 泰州人，二十八年

南直建德人。魏恕 南直邳州人，監生。陳敏 山東東平州人。高安 南直豐人，舉人。武文中 山西岢嵐人。張敬 山西西河人。賀忠 山西霍州人，監生。

張治 山東人。侯封 山東利津人。蔡效先 王潤 山東人。楊鋭 姜夢兆 山東人。王夢賢 坿李琮傳。（八人據房山佟志）

茹勛 陝西涇陽人，遷知印。（據霸州周志）郁量 王宜用 相英 陸佐 韓雄 劉錫（六人據萬曆沈志）蔣愷 南直華亭人，進士，直言，左遷

江西崇仁人，三十六年任。黃中理 浙江海鹽人，三十八年任。王應選 湖廣江陵人，四十一年任。倪大經 浙江烏程人，四十四年任。何思誠 福建福清人，四十

養親歸。劉義 山西人。谷鰲 李銓 坿張汝舟傳。石彪 四人，正德年任。曹欒 高琮 王文璿 宋樞 四人，嘉靖年任。

陳子器 陳繼參（二十二人據萬曆沈志）□汝桂 陝西涇陽人。袁承疇 四川重慶人，萬曆六年任。明淮 江都人，十一年任。董范義 陝西涇人，十四年

岳玉 宋紀 玉鎧 孫繼愚 並萬曆年任。（已上據萬曆沈志）錢竹徵 萬曆年任。（據文廟碑）

任。聶天恩 河南滎陽人，三十六年任。鄭時中 山東德平人，四十一年任。喬寵 陝西臨潼人，隆慶二年任。常用 山西長子人，萬曆二年任，遷濮州吏目。

陳壐 山西絳州人，監生。
劉瓘 山東東平州人。
甯浩 遼東人。
袁溥 慶陽衛人。
鍾思誠 江西人。
周豸
陳錦 陝西人。

王璞 江西玉山人，正德中任，遷知印。（二人據霸州周志）
李德
程夔
李顯宗
劉道
郭相
王學
韓天民
張文相
吳珊

七年任。
許源 浙江長興人，天啟三年任。
□□□ 四川墊江人，六年任。
李以口 山西介休人，崇禎四年任。
葉夢熊 坿趙國鼎傳。
湯國紀

陳勅 河南臨漳人。
王四鄰 山西大同人。
陳相 山東鄆城人。
郅好學 山西吉州人。
張齊賢 山西榆次人。
劉鶴 江都人。
張仁政

任。
潘炤 浙江平湖人，十五年任。
薛應旂 河南孟津人，十八年任。
萬建善 江西南昌人，二十年任，守一介不取義。
口希漢 南直貴池人，二十

按：用，萬曆沈志作田。
游逢 江西豐城人，吏員，三年任。
馮口 吏員，六年任。
孫學篤 遼東人，承差，十一年任。
楊鳳立 浙江天台人，吏員，十六年任。

劉淳　陝西人，監生。
黃鑾　按：涿州吳志奪。
孫隆
孫鋭　陝西綏德州人。
馬璉　陝西武功人。
凌鶴　南直上元人，監生，嘉靖年任。
蒲韶　四川

劉珊（十人據萬曆沈志）
萬開禮　雲南人。
孫文中　浙江宣平人。
牛洪　河南汲人，遷知印。三人，嘉靖中任。（據霸州周志）
陶譜　浙江會稽人，嘉靖十七年任。（據霸州周

垍王鑰傳。
高翔　陝西葭州人，十一年任。
周啟新　山東掖人，十四年任。
趙仕　陝西人，十六年任。（已上據文安楊志）

陝西涇陽人。
葉雲漢　陝西西和人，修城。十二人，嘉靖中任。
黎伯如　垍趙德光傳。
劉壁　浙江海甯州人。
李如玉　山東觀城人，貢士。
郭憲甫

三年任。
徐霖　通州人。
閻思棠　浙江鄞人。
施端奎　福建閩人，三十年任。
戴居美　南直六安人，三十四年任。
朱朝熙　三十五年任。

李奇春　福建人，吏員，十八年任。
廖朝倫　福建順昌人，吏員，二十年任。按：萬曆沈志止此，而奪廖上四人。
朱儒魁
傅宗槐
劉輔
林希聖
繆伯芳

瀘州人，嘉靖年任。　趙英　唐傑湖廣京山人。　李彪山東蒙陰人。　衛相山西河津人。　李宷廣西蒼梧人。五人，隆慶年任。（已上據萬曆沈志）
志）　江鼎　黎雲（二人據萬曆沈志）　王恆河南西華人，監生，嘉靖中任，遷知順義縣。（據霸州周志）　瞿蘭　徐柏　來端言　張文舉　宋用
山東費人。四人，隆慶年任。　潘簡山西懷仁人。　郭恒浙江山陰人。　董讓山西介休人。　郝芹山西人。　丁汝璟山東霑化人。按：璟，大城張志作
陳九韶福建邵武人，三十九年任。　文孝湖廣黄岡人，四十二年任。　林一宏福建福清人，四十五年任。　桑明德河南長葛人，吏員，天啟五年任。　馬之服
江南人。　賈登第江南人。　李櫝山西人。　符士俊山西人。　趙厚重山西人。　王惟善江南人。　朱守成浙江人。

李永謐 山西平遥人。
劉汝諧 江西德化人。
黎嘉謨 湖廣瀏陽人。
陶于濂 安徽蕪湖人。
季綱 浙江會稽人。（五人據涿州吴志）
陳時 浙江會稽人，舉人，萬

李性實
楊道生
劉榮
梁元翰（九人據萬曆沈志）
邵瑞辰 浙江餘姚人，監生，嘉靖中任。（據霸州周志）
程思岱 南直巢縣人。按：岱，萬曆沈志作代。

景，今依萬曆沈志。
趙宗禮 大同人，歲貢。
張勳 河南固始人。
賈梗 山西人。
董蓰 山東青城人。
李克家 山東新城人。
宋邦彦 河南磁州人。

口年任。
胡應乾 山東歷城人，六年任。
黄正色 陝西富平人，吏員，崇禎元年任。
左承恩 陝西膚施人，吏員，四年任。
李君田 陝西富平人，六年任。

折秦芳 陝西人。
王守禎 陝西人。
高賓 陝西人。（已上據萬曆沈志、平谷朱志）
胥善 積留倉大使，詳傳。

曆年任。（據萬曆沈志）　楊機　龐木　陶隱　翟挺 河南安陽人。　李文光　吳本　毛志學 浙江會稽人。　朱冕　鞏皇圖

王建 河南固始人，監生，隆慶中任，遷州同知。（據霸州周志）　吳尚義 山西渾源州人，歲貢，隆慶中任，監築文安大隄有功。　黃守道（據萬曆沈志）按：霸州周志奪。　余顯思 浙江遂安人，監

夏命 河南虞城人，萬曆年任，清甚，佐政著勞，遷商州州判。　諸光祖 浙江孝豐人。　蕭尚瑚 陝西高陵人。　謝崇教 河南臨漳人。　楊時泰 遼陽衛人，歲貢。　郭垣 陝西

王承基 山東掖人，吏員，八年任。　魏世達 浙江山陰人，吏員，十二年任，遷山東甯海州吏目。（已上據保定成志）

張應昌 山西解州人，進士。

趙善傑

高夢弼

邱日逵

孔三任

宋一奇

周學禹

張通

張俊

劉忠

李棐

生，萬曆二年任。（據霸州周志）

周鎬 萬曆中任。（據萬曆沈志）按：霸州周志奪。

李恩 南直六合人，歲貢，萬曆中任，歷署灤、保定、永清等縣，有政聲。

馬慶夢 山東曹人，進士，

鎮安人。十七人，萬曆中任。

金守德 南直天長人，遷山東平山衛經歷。

趙應宗 浙江嵊人，遷四川建昌衛經歷。

趙光遠 山東歷城人。三人，天啟年任。

王命學 江西人。

文奎（二十一人據涿州吳志）
劉航 山西 蒲州人。吏目，下三十人同。
李瓊 山東 淄川人。
王貫 陝西 靜甯人。
張信 山西 汾州人。
王禄 山西

由太僕寺少卿左遷。
徐嘉會
謝用樞 浙江餘姚人，儒士。
盧龍雲 廣東南海人，進士，由邯鄲知縣左遷，著有儆喻齋集。四人，萬曆中任。（並據霸州周志）
林蕃 吏

曹茂才 山西人，貢士。
楊楷 陝西 人，貢士。
姚大中 山東文登人，崇禎年任，以清敏稱。
周九功 山西霍州人，貢士，遷知陝西狄道縣。五人，崇禎年任。
曹英 成化

平遥人。 張繼周陝西階州人。 范卂山東昌邑人。 程完陝西隆德人。 張盛山東人，嘉靖年任。 魏政山西人，嘉靖年任。 黄廷珪河南甯陵人。

目，下二十七人同。 吴安 馮吉 王冕 李釗 張翀 王珣 杜澤 紫思賢 駱貴 侯澤 夏昂 董恩澤

年典史。典史，下四十二人同。 接賢 宋德二人，弘治年任。 張俊 余晏 劉圯 魏江四人，正德年任。 張鋭 卓景隆 劉仲名

張雄山西汾州人，並萬曆年任。（十一人據萬曆沈志）
楊勳南直宿州人。
范超東山東歷城人。
吴樞
董穆
賈春蘭
袁堯輔浙江會稽人。

王纓
羅文益
董效賢
孫沂嘉靖中任。（十六人據萬曆沈志）
張業陝西山丹衛人，嘉靖中任，在官七年，勤慎有聲。
劉志皋
張弘業
張應軫

葉翥
朱大任湖廣孝感人。
李雷河南人。
華堂江南人。
張涇山西平定州人。
阮英浙江會稽人。九人，嘉靖年任。
張文蕙

胡桂
魯汝緯 浙江山陰人。
曾汝遴
楊道隆 浙江人。
郎元德 浙江人。
周德隆 浙江人。
郝堅
陸亨
黃昇 運遞

三人並隆慶年任。
魏潤
周鸞
劉孔憲
陶全
賈興 五人，萬曆中任。（已上九人據萬曆沈志）
王應鳳 山東日照人，監生。
李梧 二人，萬曆中任。（據霸

坿趙德光傳。
高峯 山東濱州人。
姚臻 陝西三原人。
舒篤恭 江南石埭人。
刁揚休 河南延津人。
潘學顔 浙江海甯州人。
朱見新 江西武甯人。

所大使，下一人同。
鄭文善
王道 倉大使，下二人同。
姜巩
汪承成
王鉉 税課大使。
曹鵬 驛丞，下一人同。
房知（已上二十二人據涿州周志）

李應華 山東即墨人。
楊漢策 四川璧山人。
郭大清 江南合肥人。
劉祝久 江南盧江人。
金裕 浙江海甯人。
林萬春 福建侯官人。
張杳 山西

州吴志）

襄陵人。

唐文約 江南丹徒人。

劉斯久 山東即墨人。

吴希姜 山東濟甯州人。

王志麟 山東壽光人。十七人，萬曆年任。

夏尚忠 山東昌邑人，天啟年任。

鄧常春 福建延平人，天啟年任，捕盜勤，有惠政。

劉正化 江西人。

熊士賢 江西人。

謝志增

張爾欽 山西太原人。

張先業 陝西朝邑人。

李秀實

杜時義 陝西人。七人，崇禎年任。（已上據萬曆沈志、大城張志）

華陽吴祖椿校

德清傅雲龍纂　江陰繆荃孫覆輯

官師志八

前代學官表四

教設官始虞司徒，然時非督一州也。周鄉大夫受法司徒，頒之鄉吏，各教所治，侯國之講學，貢秀寓之長民。漢以來學官，郡先置，縣與州次之。州學斷自隋後，厥前則統部學官也。作前代學官表。

學政議創于唐，職則始宋。（歷代職官表：唐李栖筠等之議，請于十道大郡置太學館，遣博士出外兼領郡官，以教生徒，與明制各省設提學相近，然議不行。）元符二年，諸路選監司提舉。（宋選舉志：諸路選監司提舉，學校守貳董幹其事。）崇甯二年，專設提舉學事司，掌一路州縣學政，學政始此。（宋職官志：提舉學事司，掌一路州縣學政，歲巡所部，以察師儒之優劣、生員之勤惰，而專舉刺之事，崇寧二年置。）宣和三年罷，（宋職官志。）尋復。（歷代職官表：考紹興十八年，國子監參酌諸州軍如未差教授處，即令本路提舉司，於本州有出身官選差一員兼領。二十一年，大理寺主簿丁仲京奏，贍學田多爲勢家侵佃，望令提督學官監察。户部請令提舉司置籍勾管。慶元二年，吏部尚書葉翥請令太學及州郡學，各以月試令格，前三名程文，上御史臺考察，有舊習不改，坐學官、提學司之罪，然則提舉後仍設之。）然廣陽、永清郡屬燕山府路，在宣和五年、七年入金，此三年中，提舉之復否，史無明文。金曰提舉學校官，凡試補學生，則領厥學官主之。今制，學政歲科試士始此。蓋宋制，學生猶主之以州縣官選補長史也。（金選舉志：凡試補學生，以提舉學校學官主之。按：今歲科取士，以學政主之，先由州縣及府試，亦參宋制。元曰儒學提舉司。初，大都路提舉學校所提學一，秩正六。至元二十四年立國學，以故孔子廟爲京學，提舉仍繫國子祭酒銜，品從五。有副，品從七。元百官志：大都路提舉學校所，秩正六品，提舉一員。至元二十四年，既立國學，以故孔子廟爲京學，提舉學事者，仍以國子祭酒繫銜。又云：儒學提舉司，秩從五品。各處行省所署之地，皆置一司，統諸路、府、州、縣學校祭祀、教養、錢糧之事，及考校、進呈、著述、文字。每司提舉一員，從五品；副提舉一員，從七品；吏目一員，司吏二人。明洪武九年定制，北平布政司設提督學道僉事一。永樂元年，改北京提督學校，以御史充，曰提學御史。明職官志：都察院十三道監察御史，提督學校兩京各一人，按察司、副使、僉事，提督學道，十三布政使司各一員，惟湖廣二員。按：學政充以京官，始此。府教授始宋，在漢則自武帝于郡國立學官，漢循吏傳：文翁修起學宮于成都，招下縣子弟爲學官弟子。至武帝時，令天下郡國皆立學校官，實自文翁始。漢董仲舒傳：復興學校之官，自仲舒發之。是爲郡文學。漢王尊傳：尊師郡文學官。顏注：郡有文學官。尊事之以爲師也。按：漢梅福、雋不疑、蓋寬饒、諸葛豐、張禹等傳皆云，爲郡文學。匡衡以太常掌，故調補平原文學。有文學祭酒，見隸釋文翁學生碑題名。學有掾。元帝置五經百石卒史。漢儒林傳：元帝好儒學，郡國置五經百石卒史。按：續漢志劉注，引漢官儀：河南尹百石卒史二百五十人，而通典、三國志俱謂爲百户吏卒。水經注謂爲百夫吏卒。曲阜孔廟永興元年碑云，請置百石卒史，與漢儒林傳合。考張納碑陰題名，文學主事、掾史各一，文學掾二，史一，可補史志之闕。元始三年，學置經師一。漢平紀：元始三年，立學官，郡國曰學。縣、道、邑、侯國曰校，校置經師一人。鄉曰庠，聚曰序，庠、序置孝經師一人。後漢郡文學如故。後漢鄧禹傳：臣少學問，可郡文學。然則燕爲廣陽，郡國迭更，並置文學，廣陽兼有經師。若漁陽，若涿，若章武，視此。魏有文學祭酒，有掾。魏志高柔傳：太祖使郡縣立教學之官。管輅傳：清河太守華表召爲文學掾。玉海：魏樂祥爲河東文學祭酒。燕郡更國，及范陽、章武同晉之郡文學，旋修旋罷。宋禮志：晉征西將軍庾亮，在武昌開置學官，教曰今便處分安學校處所，起立講舍，參佐大將子弟，悉令入學，吾家子弟，亦令受業。四府博學識義，通涉文學經綸者，建儒林祭酒，使班同三署，皆妙選邦彥以充此舉，近臨川、臨賀二郡，並求修復學校，可下聽之。歷代職官表：庾亮欲明庠序，旋卽廢罷，後謝石又請頒下州郡，普修學校，亦未見施行。

有掾。晉熊遠傳：郡辟爲文學掾。燕郡更國，及漁陽、章武，其文學之廢置未詳。後魏郡博士有助教，今府學訓導肇此。魏高允傳：請制大郡立博士二人，助教四；次郡立博士二，助教二；中郡立博士一，助教二；下郡立博士一，助教一。歷代職官表：魏天安初，詔立鄉學，郡置博士二，助教二，後從高允請，乃更其制。按：職官表以孝經師列之府縣訓導，考漢平紀，郡國曰學，縣、道、邑、侯國曰校，校學置經師一人，鄉曰庠，聚曰序，庠序置孝經師一人。據以爲縣訓導之權輿近是。蓋分之爲鄉，聚合之爲縣也。燕郡、漁陽、范陽、章武、密雲、昌平同齊，燕郡、漁陽、范陽、章武、學官如魏。北齊儒林傳：齊制諸郡並立學，置博士、助教。隋房暉傳：齊南陽王綽爲定州刺史，詔爲博士。隋開皇初，有燕郡博士。三年爲幽州博士。大業三年，爲涿郡博士。隋柳昂傳：隋文帝受禪，昂請勸學行禮，自是天下州縣皆置博士習禮焉。歷代職官表：仁壽元年，廢天下學，追煬帝復開庠序，而郡縣之學盛於開皇，初時爲學官，如孔穎達爲河南尹博士，潘徽爲揚州博士，劉焯爲冀州博士。唐武德初，置幽州經學博士，有助教。建中初，改博士曰文學。檀州如之。

天寶元年，改爲范陽郡文學，密雲郡同。唐六典：上州經學博士一，從八品，下助教二；中州經學博士一，正九品，下助教一；下州經學博士一，正九品，下助教一。唐百官志：德宗卽位，改博士曰文學。元和六年，廢中州、下州文學，京兆等助教二。上州文學一，從八品下。後唐天成二年，幽州置官學。通考：天成三年，宰臣兼判國子祭酒崔協，奏請頒下諸道州府，各置官學。遼有博士、助教。續通考：遼南面黃龍府學官，曰博士，曰助教。興中府學設官同。按：幽都析津學官無考，以他府推之，官制可見。宋始置郡教授，兼以本處舉人充學官，用本省人始此。宋職官志：教授，景祐四年，詔藩鎮始立學，他州勿聽。慶曆四年，詔諸路州、軍、監各令立學。自是州郡無不有學。始置教授，以經術行義訓導諸生，掌其課試之事，而糾正不如規者。委運司及長史於幕職、州縣內薦，或本處舉人有德藝者充。元豐元年，學官惟大郡有之。元祐元年，列郡各置教官。建炎三年，教授並罷。紹興三年，復置。十二年，詔無教授官州、軍，令吏部申尚書省選差。二十六年，詔不許兼他職。若試教官，則始於元豐；添差教授，則始於政和。按：今制，學官由吏部銓選，始宋。宣和五年，置廣陽郡永清軍教授，橫山郡鎮遠軍及霸州同距崇甯三年，詔諸州軍並置學，凡十有九年，李燾國史長編：崇甯三年，詔諸路、州、軍，未曾置學處並置學。有助教。宋職官志：文學助教。武學教授亦始宋。宋史：慶曆二年，詔兩制舉官爲武學教授。三年，置武學於武成王廟。慶元五年，詔諸州學置武士齋宮。金大定十六年，置府學官。大興府教授一，又防禦州教授一，霸州視此，大興府女直教授一，猶今順天府之滿洲教授。金選舉志：府學，大定十六年置，以嘗與廷試，及宗室皇家袒免以上親，并得解舉人爲之，後增州學，遂加以五品以上官，曾任隨朝六品官之兄弟子孫，餘官之兄弟子孫，經府薦者，同境內舉人試補三之一。金百官志：諸府教授一員，諸防禦州教授一員，大興府女直教授一員。元大都路教授二，學正二，學録一。元百官志：大都路教授二員，學正二員，學録一員。按：元選舉志云，路設教學正、學録各一。據知大都路員數獨加。又訓導始元，見輟耕録。考明順天府有訓導而無學正、學録。元大都路已有學正、學録，未必復有訓導也。明順天府教授一，訓導一。明職官志：順天府儒學，教授一，從九品，訓導一。按：明職官志又云，儒學，府，教授一，訓導四。京府不能轉減，北平府訓導當是四人。又有都司儒學，行都司儒學，衛儒學各教授一，訓導二。明職官志：都司儒學，行都司儒學，衛儒學，以教武臣子弟。俱設教授一人，訓導二人。河東又設都運司儒學，制如府。其後宣慰、安撫等土官，俱設儒學。若學正，若教諭，若訓導，名並始元。然漢元按：漢元始前，經學未見，郡國學校，立自漢武，郡學縣校，分于漢平紀校學二字，似不得始三年，於縣及侯國置校經師，即今縣教諭權輿也。俱屬之縣。後漢曰學官祭酒，後漢劉寬傳：典歷三郡，每行縣，輒引學官祭酒及處士諸生，執經對講。歷代職官表中部碑，又有校官祭酒，任延爲武威太守造立校官，校官即學官。按：寬傳云，行縣引學官祭酒，當是縣學官。有掾。隸續有校官掾，王幽題名碑。隋立縣學官。魏志高柔傳：太祖使立教學之官。隋立縣博士。隋柳昂傳。詳上。唐縣經學博士一，建中初改曰文學。唐六典：上縣博士一，助教一，學生四十；中縣博士一，助教一，學生二十五；下縣博士一，助教一，學生二十。博士專以經術教授諸生。唐百官志：德宗改博士曰文學，凡縣皆有經學博士一。遼設縣學博士。續通考：遼縣亦設學，有博士。遼太公鼎傳：改良鄉令，建孔子廟學部，民服化。宋之縣官，皆帶提舉管勾學事，其後選于令佐，如無出身，即屬之縣學長諭，王明清揮塵前録：政和中，詔天下州縣官，皆帶提舉管勾學事。靖康初，除去。紹興中，復增，但改庶官爲主管。尋降旨，武臣帥守，並免入銜。李燾國史長編：崇甯二年，詔縣學生不及二十人處，許依州學例，并附近大縣一處教養。歷代職官表：縣學，委知通，于令佐內，選有出身官一員，兼領教職事，若州縣官俱無出身，只令本學長諭專主教導，郤令州縣令覺察點檢。或曰主學。文安楊志：宋文安縣主學一員。元于縣置教諭一。教諭始此。元選舉志：至元二十八年，令各縣立小學，凡師儒之命於朝廷者曰教授，路、府、上、中州置之。命于禮部及行省及宣慰司者曰學正、山長、學録、教諭，路、州、縣及書院置之。縣設教諭一員。明職官志。明儒學縣教諭一。州學之制，斷以隋後。唐置經學博士一，建中初，改曰州文學。唐六典：上州經學博士一人，從八品；中州、下州正九品下。唐百官志：德宗改曰文學，上州文學一人，從八品下。宋州官帶提舉管勾學事，詳上。有州教授，宋職官志。軍同下州。元上、中州教授一，又有蒙古字學教授；下州學正一，學正始此。元選舉志：上、中州設教授一員，下州設學正一員。餘詳上。文安楊志：元教授蒙古字學教授一。按：州學正始元，然其時不獨州有之，大都路學正二，見百官志；路學正各一，見選舉志州，亦不盡有，有者下州耳。明州學正一。明職官志：州學正一，洪武二年，詔府州縣皆立學。十三年改各州學正爲未入流。先是從九品。訓導之名，州縣並與府同，或云漢孝經卽今縣訓導之肇端也，詳上。有掾。隸釋：學師宋恩等題名，有孝掾，與易、尚書、詩、春秋等掾並列。唐州縣各置助教。唐百官志：元和六年，上州助教一人，縣皆助教一人。遼縣學置助教。續通考：遼縣亦設學，有助教。元改曰訓導，有大小學之分，訓導始此。輟耕録：凡學官朔望講說，所屬上司官或省憲官至，自教授學官暨學賓齋諭等，皆講說一書。錢百全作訓導時，行刑官至，講欽哉欽哉，惟刑之恤哉，講畢，稱賞不已。文安楊志：元大學訓導一，小學訓導一。歷代職官表，元有訓導，史志漏。明州訓導三，縣訓導二，顧後亦有異，如通州、涿州訓導三，漷縣、三河、寶坻、文安訓導二，餘則州縣並一。據萬曆沈志、文安楊志。明職官志：州訓導三人，縣訓導二人。洪武二十四年定儒學訓導位雜職上。凡順天府屬州縣，前代之學官，此其崖略。

郡學而上，漢有州文學，華陽國志：文翁立學精舍，永初後。太初陳留高眹增造二石室，州奪郡文學爲州學，郡更起文學。有典學從事。見文翁學生題名碑。按：蜀志，尹默傳先主定益州領官，以爲勸學從事。譙周傳：丞相亮領益州牧，命周爲勸學從事。大將軍蔣琬領刺史，徙爲典學從事。據此知季漢州學官設典學從事，固漢制也。魏曰文學從事。魏志管輅傳：冀州刺史裴徽辟爲文學從事。晉曰勸學從事。晉孟嘉傳：庾亮領江州辟部廬陵從事，轉勸學從事。亦有典學從事。通鑑七十九：泰始八年，益州典學從事。胡注云：典學從事，典學校及部諸郡文學掾，漢諸州刺史有孝經師，主監試經，月令師主時節祭祀，魏、晉合其職爲典學從事。齊曰州博士。隋房暉遠傳：齊南陽王綽爲定州刺史，詔爲博士。周于行臺省置學師。周薛愼傳：太祖于行臺省置學，取丞郎及府佐德行明敏者充主，以愼爲學師，以知諸生課業。隋曰州博士。隋柳昂傳。唐大都督府經學博士有助教。唐六典：大都督府博士一人，從八品上，助教二人，學生六十人；中都督府經學博士一人，從八品下，助教二人，學生六十人；下都督府經學博士一人，從八品下，助教一人，學生五十人。建中初，改博士曰文學。據唐百官志。後唐天成三年，諸道州置官學。據通考。宋景祐四年，置教授自藩鎮始。慶曆四年，諸路並置學。宋職官志：教授，景祐四年，詔藩鎮始立學，他州勿聽。慶曆四年，詔諸路立學。熙甯五年，詔諸路學官委中書門下選差。李燾國史長編：詔諸路未置學處並置學。金節鎮置教授一。金百官志：諸節鎮，教授一員。元于路設教授、學正、學録各一。據元選舉志。

	提督學政（統部學官坿見。）	府學（武學坿。）	良鄉學	固安學	永清學	東安學	香河學	通州學
金	完顏匡（本名蘇色，大定二十八年中都路教授。據金史列傳。）							

明	元
顏鯨 嘉靖年任，詳傳。	虞集 字伯生，大德初，大都路儒學教授。（據元史列傳） 歸暘 字彥溫，汴梁人，至順年大都路儒學提舉。（據元史列傳）
高尚惠 教授，下二十九人	
趙箴 河南人，歲貢，正德十	
陳遜 蘇州人，舉人，正統二	韓元亨 河間人，大德年學正。（據固安陳志） 李仝 豫章人，延祐五年訓導。 劉蒙亨 泰定年學正，以經教。（據固安陳志名宦）
馬文 見許健傳。教諭，下	
胡振 長垣人，舉人，永樂三	張天麟 至正二十三年學正。（據東安李志）
段濂 江南宿遷人，歲貢。	
李公達 洪武年任。學正，	楊齊賢 學正，詳傳。

龐尚鵬字少南，南海人，隆慶年任。（據明史列傳）

傅孟春萬曆二年任，令霸州知州郝汝松改建學宮。（據霸州周志）

商爲止萬曆八年任，拓學宮。（據大興王志）

同。

蕭復湯

楊萬言（已上據萬曆沈志）

陳泰來字伯符，平湖人，萬曆丁丑進士，授教授，進國子監博士。（據明史坿于孔兼傳）

袁一暎按：暎，大興張志

年任。教諭，下十二人同。

劉善河南人，歲貢，正德十二年任。

于宗禮山東人，歲貢，嘉靖七年任。

賈希賢河南祥符人，舉人，嘉靖年任。

陸思義

年任，多所成就。（據固安陳志）教諭，下五十四人同。

張貞河南安陽人，舉人，正統十四年任，善教。

郁珍詳傳。

陳玉河南修武人，舉人，成

三十二人同。

趙銘二十二年任。

劉萬山西潞城人，貢生，嘉靖二十五年任。

劉服休河南鈞州人，歲貢，三十年任。

李俊藁城人，歲貢，三十三年任。

年任。教諭，下三十九人同。

陳曄天順八年任。

謝延齡山東高密人，弘治五年任。

陳憲山東魚臺人，八年任。

趙隆山東歷城人，舉人，正德元年任，遷知口

教諭，下三十八人同。

蔣永甯山西太原人，歲貢。

吉奎東陝西咸甯人，歲貢。

張文通山東武城人，歲貢。

張拱山東

下四十四人同。

劉晙正統元年任。

張安二十年任。

周子在十二年任。

崔瑄山東膠州人，舉人，成化二十一年任。

遂鼎山東章邱人，舉人，弘

楊四知　建尊經閣。
李堯民　萬曆二十二年任。（據縣學置學田碑記）
左光斗　萬曆四十八年任，詳傳。
李藩　日照人，癸丑進士，天啟年任，呼魏忠賢九千歲，加太僕

作驤。
李杜才
曾鳳儀
秦國
諸國賢　按：諸，大興張志作褚。
李士登
陳九官
邢有汴
李茂春
王祺　俱萬

江蘇淮安人，歲貢，十三年任。
沈文英　臨淮人，歲貢，十五年任。
林遇春　遼東人，歲貢，二十年任。
□□□　山西人，歲貢，三十年任。
李嘉賓

化十五年任。
陳漢昌　福建長樂人，弘治十三年任。
王憲　山東淄川人，舉人，十三年任。
閻濟　山西忻州人，舉人，十六年任。
張仲賢　陝西鳳翔人，舉人

楊拱　山東霑化人，歲貢，三十八年任。
郭鉉　山西廣甯人，歲貢，四十三年任。
楊舜臣　陝西商州人，歲貢，隆慶二年任。
秦寶　河南項城人，歲貢，四年任。

州。
張永禎　山東曲阜人，舉人，十五年任。
張紀　河南靈寶人，嘉靖元年任。
周福　安徽鳳陽人，七年任。
張文明　河南祥符人，十年任，有人倫模楷之

高唐人，歲貢。
徐銓　浙江蘭溪人，歲貢。
王時正　湖廣巴陵人，歲貢。
岳瓚　山東堂邑人，歲貢。
梁震　山西嵐州人，歲貢。
竇希賢　山西沁水人，歲

治九年任。
洪異　詳傳。
蔣裕　江南徐州人，監生，正德八年任。按：孫冕是訓導，通州高志列于蔣下，誤。
薛瑞　江南淮安人，正德年任。
袁秦　江南

卿。（據明史坿霍維華傳）

陳純德 字靜生，湖廣零陵人，崇禎庚辰進士，召對稱旨，授福建道御史，十六年督學，聞警入，城陷自縊。（據明季北略二十一）

曆年任。（已上據萬曆沈志）

馮時行 萬曆二十四年任，七月請開礦，助大工。（據明史紀事本末）

袁宏道 字中郎，公安人，萬曆壬辰進士，教授遷吏部稽勳郎中。（據明史列傳）

陝西洋人，舉人，隆慶二年任。

常道立 貴州人，舉人，萬曆年任。

何文綺

令狐一

鞭

安上達 坿黨還醇傳。

趙沖奎 河南人，歲貢，正德十一年任。訓

，十八年任。

戴儉 河南祥符人，舉人，正德元年任。

遂塤 山東章邱人，舉人，三年任。

楊宣和 江西進賢人，監生，七年任。

郭逵 山東東阿人，舉人，十五年任。

李文晰 福建海澄人，舉人，萬曆二年任。

黎民敬 廣州人，五年任。

盧實 易州人，歲貢，九年任。

高象奎 江西金谿人，舉人，十三年任。

林守典 福建福清人，舉

目，祀名宦。

郭錦 山東曹人，十六年任。

陳洪範 山東濱人，二十年任。

張軫 遼東復州人，二十二年任。

周紳 河南固始人，二十四年任。

劉三錫

貢。

伍希德 江西南昌人，舉人，訓士著效，撫按交獎，遷知豐潤縣，祀名宦。

左龍 山東陵人，歲貢。

馬溥 河南澠池人，歲貢。

任修業 陝西米脂人，歲貢。

蘇州人，舉人，嘉靖三年任。

程式 山西太原人，舉人。

連儒 山西潞安人，監生。

趙鸞 唐縣人，監生，二十年任。

程策 福建甌甯人，監生，二十年任。

趙光 河南

曹欽程 江西德化人，進士，吳江知縣，貶順天教授，父事忠賢，爲十狗之一。（據明史列傳）

王喬棟 北直雄人，乙丑進士，崇禎初教授，遷湖廣參政，興國州陷，自經。（據明史列傳）

導，下十七人同。

任秀 湖廣人，歲貢。

張鴻 山東人，歲貢，嘉靖年任。

徐福 山東人，歲貢，十年任。

李詩 山東人，歲貢，十三年任。

焦浹 山東

胡士元 山東章邱人，舉人，嘉靖元年任。

艾景賢 山東壽張人，舉人，元年任。

楊東山 詳傳。

李廷秀 山西榆次人，八年任。

朱軒 山東泰安人，監生，十

人，十六年任。

韓希曾 河南修武人，貢生，十九年任。

張試 山西安邑人，貢生，二十二年任。

王約 保安人，貢生，二十五年任。

楊惠民 大名人，舉人，二十八年任。

山東邱人，三十一年任。

楊環 山西霍州人，三十五年任。

舒弘化 四川富順人，舉人，四十一年任，遷知口縣。

于綉 山東新城人，四十三年任。

李一才

江憲 山東文登人，歲貢。

馬騰雲 雲南建水人，舉人。

馬以閑 山東章邱人，歲貢，善教士，遷知成縣。

常遷 直隸阜城人，歲貢。

朱璽 山西興縣人，歲貢。

人，監生，二十二年任。

張應瑞 河南陳人，監生，二十四年任。

張一夔 江南六安人，貢生。

謝鳳 山東兖州人，遷知陝西米脂縣。

楊光熙

葉其瞻

王永壽 山西人，己未進士。
劉在朝 湖廣監利人，乙丑進士。
何三省 江西廣昌人，辛未進士。
龔震英 江西南昌人，甲戌進士。
曾亨應

人，歲貢，十六年任。
柴士貞 河南人，歲貢，十八年任。
程紀 山東人，歲貢，二十年任。
項福 山西人，歲貢，二十三年任。
劉獻之 陝西人，歲貢，二

六年任。
盛業 直隸海門人，監生，二十二年任。
王志道 山東利津人，監生，二十四年任。
陳鍾秀 河南新野人，監生，二十九年任。
劉凱 廣西桂林人，舉人，三十三年任。

于思明 山海關人，貢生，三十一年任。
王三重 雲南鄧州人，舉人，三十五年任。
葉汝欽 廣西南甯人，舉人，三十九年任。
張應選 天津衛人，四十三年任。
于采藻

山東嘉祥人，隆慶元年任。
高希哲 山東長山人，四年任。
孫杰 貴州人，舉人，萬曆二年任。
吕希簡 保定人，五年任，遷金州衛教授。
劉大良 安州人，八年任。

王任相 冀州人，歲貢。
張魁 遼東廣甯人，歲貢。
陳大統 浙江會稽人，進士，萬曆十三年任，遷國子監學正。
柏廷桂 遼東甯遠人，歲貢，遷薊州學正。
劉鎬 山東陽信人，十七年

江南人，貢生。
林萬韶 廣東人，舉人，隆慶年任，遷知安平縣。
趙應奎 偏頭衛人，貢生，四年任。
王沂 唐縣人，萬曆元年任。
王春 陝西醴泉人，貢生。
羅仁芳

江西臨川人，甲戌進士。楊所修 四川内江人，舉人。陳國珍 四川華陽人，舉人。羅應台 浙江新城人，舉人，遷國子監助教。朱芾煌 江南無爲人，甲戌

十五年任。陳一中 南直潛山人，歲貢，二十七年任。楊堪 山西絳人，歲貢，四十二年任。陳諤 山西絳人，歲貢，嘉靖年任。□文洪 山西襄垣人，歲貢，隆慶元年任。

吕文南 陝西咸甯人，舉人，三十八年任。管汝寬 山東高唐州人，監生，三十五年任。孫鉞 山東商河人，舉人，四十一年任。俞天衢 遼東廣甯人，監生，四十三年任。胡以均

藁城人，舉人，四十七年任。許三戒 河間人，天啟二年任。湯光先 保定府人，四年任。楊恒 李埘 鑑傳。張我敬 柏鄉人，六年任。許可久

蕭九章 福建晋江人，舉人，十一年任。顏魁槐 福建海澄人，舉人，十四年任，遷知饒平縣。張鳳翼 廣東海澄人，舉人，十七年任，遷國子監博士。滕如麟 雲南永昌人，舉

任，善誘，遷瀋陽衛教授。張維蘭 藁城人，歲貢。許鳳賓 福建晋江人，舉人。王憲章 山東堂邑人，歲貢。杜好義 贊皇人，歲貢。伍德位

順德人，舉人，五年任，遷知分宜縣。莊郭義 福建晋江人，舉人，八年任，遷梧州府推官。蔡掄魁 福建同安人，舉人，十一年任，遷國子監學録。趙日崇 福建晋江人，舉

進士。（已上據大興張志、宛平王志）
張遲
李聞詩 二人。（據儒學碑）
勞永嘉 （據萬曆畢懋康學田記）
孔承先 訓導，下六十九人同。
張秉彝
汪寅

姚繼宗 萬曆十一年任。
李廷表 坿黨還醇傳。
齊士傑 昌黎人，歲貢。
郭仲金 遼東人。（已上據良鄉楊志）

江西高安人，舉人，隆慶三年任。
王應時 山東陽穀人，貢生，四年任。
王元吉 山東鄆城人，貢士，五年任，遷冀州學正。
李尚賢 遼東鐵嶺衛人，貢士，萬曆三年任，遷遼東金州衛教

山西隰州人，八年任。
陳激揚 元城人，十年任。
蔣汝賢 大興人，舉人，十二年任。
邱養性 坿高維岱傳。
金克長 江西新建人，舉人，十六年任。（已上據永清周志）

人，二十年任，遷知武清縣。
畢格 南皮人，歲貢，二十五年任，遷山西教授。
蔡止茂 湖廣黃岡人，舉人，二十九年任，遷知福建龍溪縣。
賈桐 興濟人，歲貢，三十一年任，遷大同教

南昌人，舉人。
馬如龍 山東膠人，歲貢，遷知大甯縣。
沈萬鈳 字玉臺，浙江嘉善人，舉人，四十年任，遷知香河縣。
王三槐 深澤人，歲貢，遷京山王周府教授。
張志仲 完人，歲貢。

人，十四年任，遷知南宮縣。
鄭其誼 河南內黃人，舉人，十七年任，遷國子監學正。
袁緇衣 元城人，貢生，二十年任。
陳九疇 陝西同州人，貢生，二十五年任。
丁天相

潘璧
李以盛
章天衢
周世用
張天眷
魏尚賢
李[illegible]
王秉中
劉光文
劉元卿
黃元潤
劉思誠
滕濟倫

授。
丁柏 遼東金州衛人，貢士，五年任。
熊大楠 福建漳浦人，舉人，七年任。
陳復彝 山西甯鄉人，舉人，九年任。
穆歷禮 直隸交河人，選貢，十五年任。

許究 成化五年任。（據儒學碑）訓導，下二十一人同。
王景雲 二十二年任。（據儒學碑）
古允中 山西祁州人，隆慶元年任。
艾濟 山東歷城人，三年任。
夏文學

授。
苗時露 曲周人，歲貢，三十三年任，遷趙府典膳。
寇光裕 山西榆次人，舉人，三十六年任，遷知安肅縣。
韓東明 安肅人，舉人，四十一年任，遷知湖廣武昌縣。

王家楨 易州人，歲貢。
龍載圖 昌黎人，歲貢，遷知馬邑縣。
陳時策 永平人，歲貢。
董福 臨清人，歲貢。
紀之綱 北直人，歲貢。
韓運昌 河間人，歲貢。

江南泰興人，貢生，二十七年任，遷知沙河縣。
王廷貴 遷安人，貢生，二十九年任。
岳貢正 曲周舉人，三十三年任，遷知武功縣。
黃琺 浙江餘姚人，三十五年任，成庚戌進士。

夏惟勤　董獻可　黃如菊　楊時中　李芳　馬科　管大武　陸楨　李桂　高好問　李守直　張盡心　白煖

鍾大章貴州都匀人，舉人，十六年任。　李彭年四川營山人，舉人，十九年任。　郝化山東青州衛人，選貢，二十一年任。　侯汝敬山海衛人，歲貢，二十五年任。　魏友直遼東廣甯衛人，六年任。　張惕遼東人，萬曆二年任。　車同軌長垣人，五年任。　王秉憲大名人，十年任。　陳彬任邱人，十六年任。　王種和清苑人，二十一年任。

王從先湖廣石首人，舉人，四十七年任，遷知四川新都縣。　邊崙蠡人，舉人，天啟二年任。　張文光歲貢，崇禎二年任。　霍懋官曲周人，歲貢，三年任。

何助河南陳留人，歲貢。訓導，下四十七人同。　黃濟陝西平涼人，歲貢。　何海遼陽人，歲貢。　孫溥河南鈞州人，歲貢。　沈清浙江仁和人，歲貢。　張壽山東

周治隆遷安人，貢生，三十八年任。　劉藎臣無極人，舉人，三十九年任。　張天德陝西固原人，舉人，四十年任。　蔡文奇萬全人，貢生，四十六年任，遷青州府教授。

艾月俱萬曆年任。（已上據萬曆沈志）
章潢字本清，南昌人，遙授順天訓導，月給米贍，卒于萬曆三十六年。（據明史列傳）
葉承恩浙江黃巖人，遷知四川汶川縣。
董國楨

安肅人，歲貢，二十七年任。
程賡起深州人，舉人，二十九年任。
薛養性陝西韓城人，舉人，三十一年任。
康元和湖廣衡山人，舉人，四十三年任。
孫燦然陝西宜君人，選

李自新祁州人，二十六年任。
劉觀旋延慶衛人，三十年任。
劉宗漢雲南六涼人，三十二年任。
高雲雁深州人，三十七年任。
王與位

田嘉穀山西人，歲貢，五年任。
崔恆春正定人，歲貢，七年任。
彭復賢歲貢，十年任。
郎位貴州人，歲貢，十四年任。
劉鋹天順六年任。訓導，

平度州歲貢。
吳賢山東榮和人，歲貢。
許汶山東范人，歲貢。
韓希文山西汾州人，歲貢。
孫什山東聊城人，歲貢。
傅汝霖山東鄒人，歲貢。
王珏山東

王紹翰陝西三原人，舉人，四十八年任，遷知郟縣。
王瑞臨雲南鶴慶州人，舉人，天啟二年任，遷國子監學録。
劉紹璇魏縣人，舉人，六年任。
馬如澤順天人，舉人，七

年任。
孫宜興 保定人，貢生，三年任。
朱垣 貢生，十一年任。
田耘 洪武十年任。訓導，下七十四人同。
錢濟 正統元年任。
田甯 元年任。

蒲台人，歲貢。
婁憲 河南固始人，歲貢。
譚震 山東昌邑人，歲貢。
高福 山東廣昌人。
盧憲 山西榮河人，歲貢。
張思義 河南淯川人，歲貢。
桂枝 河南

下五十七人同。
楊銀 順天八年任。
謝顒 十年任。
崔浩 弘治三年任。
茹璿 九年任。
王治 河南中牟人，十二年任。
鄒世澄

遷安人，四十四年任。
晉環 保定府人，四十七年任。
喬柏 河間人，天啟三年任。
田敏樹 任邱人，七年任。
楊化中 坿李鑑傳。
劉默 保定府人，九年任。

貢，三十六年任。
林禹門 南直吴人，舉人，三十八年任。
白源深 冀州人，四十二年任，成己未進士。
許國士 祁州人，四十七年任，成壬戌進士。
田敦儉 完人，舉人，天啟二年任。

元城人。
宋名世 清苑人，遷處州通判。
田大受 甯津人，遷知屯留縣。
李夢鯉 福建長江人。
喬東星 内邱人，遷昌平學正。
趙國衡

獻人。楊化行 深州人，遷知漳縣。黃夢熊 雲南昆明人。魯讀書 安平人，貢士。余懷忠 浙江建德人，遷知定遠縣。朱正春 山西隰人，丁丑進

賈良弼 肅甯人，舉人，三年任，遷知萊陽縣。廖惟恕 清豐人，歲貢，崇禎元年任。楊柱 山西 安邑人，舉人，二年任。張敬一 故城人，歲貢，三年任。

趙一鴻 肅甯人，十二年任。穆爌 南皮 人，十六年任。（已上據永清周志）

十二年任。高聳 福建 漳浦人，舉人，十五年任。賈受 山西 太原人，十八年任。常春 河南 人，舉人，正德二年任。張鉞 山東 人，三年任。閔寬 四川

淯川人，拯單寒，善訓導，□州學正，祀名宦。張鳳義 山東高密人，歲貢。高軒 河南 汲人，歲貢，篤于造士。朱朝卿 遼東廣甯人，歲貢。胡完 浙江

楊明 成化 二十一年任。郭名世 山西安邑人，舉人，九年任。葉萱 浙江 山陰人。李進 山東 曹州人，並弘治年任。邵英 浙江 東陽人。鄭遇 山西

士。
李華先　故城人，孝行。
白玉振　河間人，歲貢。
楊顯謨
杜汝憲　永平人，遷知陝西雒川縣。
侯國作　歲貢。
魯永庇　河南睢人。按：魯

陳一元　遼東人，監生，七年任。
李郁　開州人，歲貢，九年任。
韓洎　山西蒲州人，舉人，崇禎中任，有聲，祀名宦。
莊嚴　遼東人，貢生。
何天衢

眉州人，五年任。
王鎬　湖南華容人，八年任。
陳雲漢　山東高唐人，十年任。
唐鍊　浙江歸安人，十二年任。
徐璽　江西鄱陽人，十三年任。
王文鎬

餘姚人，歲貢，講學淵深。
劉希曾　福建上杭人，歲貢，勤教誘，遷福建政和教諭。
鄧邦熙　山西人，歲貢。
張士寵　河南西平人，歲貢。
陳詩　吳橋人，歲貢。

陽曲人，監生。
馬駉　山西安邑人，歲貢。
郭秩　河南洛陽人，監生。
孫冕　字文中，江西德化人，歲貢，正德年任，士受鎔鑄，遷新城教諭，祀名宦。按：通州高志列學正表，誤。
李杰　河南

一作曾。

彭嘉遇 藁城人。

呂和陽 安平人，遷翰林院待詔。

張應斗 蠡人，歲貢。

徐蘭芳 永平人，歲貢。

陳皋謨 長垣人，遷翰林院待詔。

完人，貢生。

王演 徐州人，舉人，宣德十年任，勤教誨。訓導，下四十八人同。

黃彥清 績溪人，舉人，正統二年任。

黃誠 江西新俞人，舉人，天順四年任，善啟迪。

湖廣人，十五年任。

黃逢 江西安義人，嘉靖元年任。

望遍 盧氏人。

王泰 榆次人，六年任。

黃振 山東即墨人，七年任。

榮華 海豐人，十七年任。

劉詔 河間人，歲貢。

張一原 山東滋陽人，歲貢。

顏子愚 博野人，歲貢。

蘇州 遼東甯遠人，歲貢。

任宗正 正定人，歲貢。

蔡景榕 福建甯德人，歲

人。

王賢 山西河津人，監生。七人正德年任。

黃寶 江西人，監生，嘉靖三年任。

趙澄 河南祥符人，監生，三年任。

管九雲 山東人，監生，十年任。

沈惟煌 湖北孝感人，遷知廣東惠來縣。

王詵 任人。

倫之模 灤人。

高攀桂 靜海人，歲貢。

閻汝茂 南宮人。

孫頤 桐城人。

（已上據大

王政 陝西涇陽人，成化五年任，嚴教規。

王綱 直隸陵人，七年任，勤訓誨。

朱昂 崑山人，監生，弘治元年任。

陳仁 河南南陽人，監生，五年任。

梁魁 武進

桑光溥 山東濱州人，十六年任，遷遵化教諭。

韓賢 河南新野人，十七年任。

孫思誠 山東鄒平人，二十年任。

方鳳翔 河南襄城人，二十三年任。

貢。

張大才 滄州人。

賈汝舟 天津衛人，歲貢。

龐尚忠 深澤人，歲貢。

張思聰 貴州普安人，歲貢。

岳譚 懷仁人，歲貢。

趙國譽

廉濟 山西人，監生，十年任。

萬瑛 山西人，監生，十年任。

張綸 河南鈞州人，監生，十年任。

方冕 山東德州人，監生，二十年任。

何世熙

—

—

興張志）
李崇德
劉見曾
趙丁
李繼忠
楊尚禮
顏希孔
鄭養民
賀掄
任仕
陳法言（已上據儒學碑）
蔣之驎

—

人，舉人，十三年任。
苗雲 河南 安陽人，監生，十三年任。
周仲英 湖廣通山人，監生，正德九年任。
田濟 山西 陽城人，監生，十年任。
郭金 山東 冠人，監生，十四

—

李撫 山東 蓬萊人，二十八年任。
劉世祿 河南安陽人，三十年任。
馬源 廣甯 人，三十三年任。
丁崑 陝西 鳳翔人，三十四年任。
帥義 四川 人，三十六年任。

故城人，歲貢。
李時芳 保安州人，歲貢。
方東哲 甯津人，歲貢，遷安肅教諭。
連梓 柏鄉 人，歲貢。
辛濬 山海 衛人，歲貢，遷山東濰縣教諭。
徐渭 天津 衛人，歲貢。

陝西麟遊人，監生，二十二年任。
劉從諫 陝西渭南人，監生，二十二年任。
鞏有年 陝西鳳翔人，監生，二十三年任。
王官 陝西 興平人，監生，二十六年任。
蔡璞 陝西 人。

字龍友，浙江鄞人，六應鄉舉，崇禎十一年授訓導，與修會典，戒嚴，南還。（據南雷文定前集）按：明季北略云：順天府教官五人同縊明倫堂，惜遺名氏。

施邦曜 字爾韜，浙江餘姚人，萬曆癸丑進

年任。

王謨 山東 平度州人，監生，十六年任。

張馨 山西 蒲州人，舉人，嘉靖二年任。

朱文質 直隸人，監生，五年任。

陳惠 陝西 狄道人，監生，十年任。

劉洸 河南 人，三十八年任。

吴東 甘肅 蘭州人，三十九年任。

王之幹 山西聞喜人，四十二年任。

田畔 山東 昌樂人，隆慶三年任。

孟鋭 河南 孟津人，四年任。

王□□ 北直人，崇禎年任，遷滄州學正。

周□□ 雲南人，歲貢。

王珍 故城 人，歲貢。

劉一龍 北直人，歲貢。

郝名暄 安肅人，歲貢。（已上據香河劉志）

于繡

黎淪 廣東 人。

程名 山東 肥城人。

李國珍 山東滕人，貢生。

俞天衢 奉天廣甯人，貢生。

高如岳 山東臨清州人，貢生。

士。順天武學教授，崇禎十六年爲左副都御史，帝崩，市信石服之，卒，謚忠介。（據明史列傳）

陳璋 河南光山人，監生，十六年任。

唐炳 山東博興人，監生，十七年任。

王迪 遼東前屯衛人，監生，二十四年任。

鄭文 浙江嵊人，監生，二十五年任。

李鵬 河南

王存仁 遼東人，五年任。

孫富 陝西同州人，五年任。

張楨 冀州人，六年任。

陳問學 山西廣宗人，萬曆六年任。

楊廷選 正定人，十年任，遷安肅教諭。

張試 山西

許學道 山東堂邑人，貢生。

王崇瀾 山西懷仁人，貢生。

馬呈祥 奉天錦人，貢生。已上嘉靖年任。

毛標 浙江金華人，貢生，隆慶年任。

侯大經

涉人，監生，二十七年任。 王棟浙江象山人，監生，二十八年任。 余炤江西鄱陽人，監生，二十九年任。 梁廷山西嵐人，監生，三十二年任。 許維翰直隸人，監生，三
安邑人，選貢，十二年任，遷永清教諭。 胡向仁青縣人，十七年任，遷山西平遥教諭。 李蕃安州人，二十二年任。 徐可久遷安人，二十五年任，遷知河南獲嘉縣。
正定人，貢生，萬曆年任。 曹登山東曹人，貢生。 胡宗樞山東人，貢生。 徐河江南江陰人，貢生，遷知湯溪縣。 鄒榮四川成都人，貢生。 梁弼廣西人，貢生。

十五年任。　俞天衢 遼東人，監生，三十五年任。　宋仕 山東即墨人，監生，三十九年任。　王得相 山西平順人，四十年任。　李聘 河南原武人，監生，四十年任。
齊岐 蠡人，三十二年任。　張啟明 山東夏津人，三十五年任，遷保安學正。　鄭民念 東光人，四十年任，遷保定府教授。　盧思問 盧龍人，四十三年任，遷臨漳教諭。　楊三元
弭子立 山東人，貢生。　張登 魏縣人，貢生，遷知山東博興縣。　呂柑 正定人，貢生。　張忠彥 盧龍人，貢生，遷密雲教諭。　陳士俊 浙江山陰人，貢生，遷知甯都縣。

張舜心河南西平人，監生，四十三年任。

徐炫山東登州衛人，監生，四十四年任。

楊勳山東章邱人，歲貢，隆慶元年任。

劉禄山東掖人，歲貢，三年任。

董澤山西

定興人，四十七年任，遷洛陽教諭。

陳瑾天津衛人，恩貢，天啟二年任。

白成文南和人，歲貢，七年任。

齊光裕高陽人，歲貢，崇禎二年任。

郭履禮靜海人，歲貢，九

梁延登奉天義州人，貢生，遷通許教諭。

靳賢延慶州人，貢生。

李文鳳肅甯人，貢生。

王邦畿故城人，貢生。

謝坦景州人，貢生。

任惟賢大名人，貢生。

河曲人，歲貢，六年任。
麻友松 慶都人，歲貢，萬曆二年任。
尚卿 靈壽人，歲貢，四年任。
崔懋 安肅人，歲貢，九年任。
馬遇伯 安肅人，歲貢，十

年任。
曹應時 任邱人，歲貢，十一年任。
郭一元 蠡人，歲貢，十四年任。
萬人傑 昌黎人，歲貢，十四年任。
趙階 深澤人，歲貢，十七年任。（已上據東

耿奎 天津人，貢生。
陳啟 雞澤人，貢生。
楊得 清河人，貢生。
黃汝舟 南和人，貢生，遷知陝西延長縣。
祁鷹 延慶衛人，貢生。
劉完士 雄人，貢生。

六年任。

嚴師心 四川南充人，選貢，二十年任。

李化龍 永年人，歲貢，二十六年任。

韓守愚 晉州人，歲貢，三十七年任。

王大有 贊皇人，歲貢，三十四年任。

安李志）

趙君樂 開州人，貢生。

岳煒 江南武進人，貢生。

張遜 保定人，貢生。

孫泓 阜平人，貢生，遷知長武縣。

安堵 雄人，貢生。

羅凱 湖廣江夏人，貢生。

張朝勳 吳橋人，歲貢，三十七年任。

趙棟 新安人，歲貢，四十二年任。

姚盤 衡水人，歲貢，天啟三年任。

錢自珍 保安人，恩貢，崇禎元年任。

徐養氣

施繼祖 滄州人，貢生。

鄭一桂 靜海人，貢生。

王光寵 東光人，貢生。

党名性 陝西宜君人，貢生。

趙宗仁 蠡人，貢生。

劉高相 大甯人，貢生。已上萬曆年任。

陝西階州人，歲貢，三年任。

李藻 大名人，拔貢。

李變 前屯衛人。（已上據固安陳志）

崔翔鳳 貢生，天啟二年任。

杜繼李

林汝梧 青人，貢生，三年任。

宗麟正 慶雲人，貢生，天啟年任。

閻純 崇禎年任。（已上據通州高志）

	元
漷縣學	
三河學	成積中 泰定中三河教諭。（據三河陳志） 劉元皓 至正戊子教諭，由平谷調，修學廡。（據祝阿三河學兩廡志）
武清學	
寶坻學	毛柔克 至正中教諭，隨黑斯彥明修廟學。（據鄭德重修孔子廟記）
昌平學	張博 山長，至元元年任。 韓祥 山長。 傅壽 教諭，至順四年任。教諭，下三人同。 雷春 至正元年任。 孫[illegible] 至正二年任。 孫世英
順義學	蕭時敏 河南彰德人，泰定元年順州學正。 完篤哲 至正八年，順州學正。 朱道 至正間，順州學正。（已上據順義黃志）
密雲學	宋文佐 至正年檀州學正。（據元王思誠檀州文廟碑記）
懷柔學	

至正二十二年任。（已上據昌平吳志）

明

潘禧 漷縣教諭，下三十六人同。
楊溥 永樂年任，修學宮。
羅恭 天順年任。
朱翊 江南安慶人，嘉靖二年任。
王鎬 山東

高乾 教諭，下二十四人同。
何江 河南羅山人。二人，天順年任。
李江 河南人，成化年任。
張紳 山東人。
連壽昌 山東人。二人，

高福 湖廣人，歲貢，成化年任。教諭，下四十人同。
朱俊 河南安陽人，舉人，善課士。
戴光 浙江蕭山人，舉人，樸實教士。
師教

趙孝先 浙江人。教諭，下四十五人同。
高德 江蘇人，舉人，創縣志稾。
韓昭 河南人，舉人。
孫能 浙江山陰人，舉人。
陳瑞 江蘇

秦登 陝西咸甯人，舉人，嘉靖八年學正，剛直有聲。（據昌平宋志）學正，下十七人同。
鍾毓秀 浙江永嘉人，監生。
任宗明 河南人，監生。

朱昇 教諭，下十九人同。
高震
胡珊
程驥
尹君卿 按：尹君卿曾任順義典史。

劉慶 河南人，洪武年任。教諭，下二十人同。
張連
趙迪 成化六年任。
李潔 山東人，弘治八年任。
李樹 遼東

郝濂 坿夏勳傳。教諭，下十九人同。
吳洪
陳已
張雲霄
邱相
閻爵

人，二十三年任。
鄭邦清　山西五臺人，二十五年任。
孔道　十三五年任。
趙魏　山東掖人，隆慶五年任。
程時慶　陝西韓城人，舉人，萬曆二年任，遷知萊陽縣。

。弘治年任
朱應元　浙江人，貢生，嘉靖十五年任。
孫廣譽　山東臨朐人，貢生，二十年任。
張祚　山東觀城人，歲貢，二十四年任。
張亨　宣府人，貢生，三十七年任。

劉瑾　歲貢，正德年任。
周□　江南人，監生，嘉靖五年任。
蔣□　江西人，監生，十五年任。
孫世實　遷自訓導。
李庇　遷自訓導。

人，儒士。
劉岳　山東人。
汪琦　興化人，舉人。
張經　四川人，舉人。
齊濟周　山東人，舉人。
丁儒　山西人。按：寶坻洪志，儒舊謁進，進同時訓導。

張品　河南人，監生。
孫什　山東人，監生。
徐鏞　河南人，監生。
孔弘訓　山東曲阜人，監生，嘉靖三十五年任，遇例陞知縣。
陳鑄　榆林人，監生。
陳九疇

李璸
馬惟淮
畢鶴
鄭書
彭吉慶
王伯珊
劉黼

人，十四年任。
劉鎧　南直邳州人，正德元年任。
趙克佐　南直桐城人，十三年任。
李昇　遼東人，嘉靖十八年任。
王表　山西人，二十年任。
何文溶

馬騊虞
何梁
高自登
焦渠
孫中和
楊文炳

邢邦直 山西大同人，四年任。 張作 江西新建人，六年任，遷南京國子監學正。 陳國正 慶都人，八年任。 李敏秀 福建晉江人，舉人，十二年任，遷知靈璧縣。

丁登 陝西鳳翔人，舉人，三十九年任，遷知□縣。 郭喜 四川人，舉人，四十二年任，遷知□縣。 趙時中 山西汾州人，隆慶元年任，遷□□教諭。 林大畜 福建人，舉人，二

阮文隕 福建人，歲貢，嘉靖十六年任，善課士。 柴錦 陝西人，監生，二十一年任。 劉維翰 山西陽曲人，監生。 龔卿 山西偏頭關人，監生。 朱文階

李實 山西榆次人。 張文 浙江諸暨人。 由銘 山東人。 王溥 浙江諸暨人。 顧言 太倉人。 李懋 柘城人。 王銘 廣西

浙江平湖人，舉人。 王于蕃 茹秉中 甯遠人。（已上據昌平宋志） 侯三接 萬曆十年學正，遷自文安教諭。（據文安楊志） 解懷亮 陝西人。

施應詔 周祐 高尚科 趙廷試 梁樞 周祖孔

二十五年任。 閻昊 十三年任。 范儒 山東人，三十六年任。 張智遠 陝西人，四十年任。 黃瑶 十四二年任。 高懿厚 順天人，隆慶六年任。

劉子唯 馬文卿 胡朝卿 與令蔣守浩同修學宮。 唐文昇 閻策 閻書 王建極

譚道江西宜黃人，舉人，十五年任，遷知大田縣。
張魁奉天廣甯衛人，十六年任。
侯中經邢臺人，十七年任。
程廩江西永甯人，十八年任。

年遷知□□縣。
劉應祿六年遷自三河訓導。
劉誥真定人，萬曆元年任。
唐宦正定人，貢生，二年任。
馬雲鶴河間人，貢生，八年任，遷□□教授。

山東臨邑人，監生。
楊環遷自訓導。
焦是山西人，監生。
叢研山東文登人，隆慶二年任。
孟宗魯五年任，遷自平谷訓導。
鄧璿廣東

臨桂人，舉人，遷知□縣。
楊時泰坩陳碩傳。
金昌馬邑人。
徐雯廣西臨桂人，舉人，遷知□縣。
彭維純益都人，舉人。
傅瑤靖邊衛人。

王孫蕃雄縣人。
常時光
喬東星山東人
張鳴鶴
張輔翼
楊儒山東長清人，監生。訓導，下十三人

孫盛
董登
項匡訓導，下二十六人同。
勇輝
辛希仁
王相
張九雲

王謨陝西宜川人，萬曆四年任。
喬汝珍成安人，五年任。
宗時名安肅人，天啟七年任。
聶棟江西人，崇禎五年任。
孔聞俊山東曲阜人，九年任。

趙𨻶詳傳。按：趙官教諭，懷柔吴志訓導，非也。
董泰訓導，下十八人同。
葉勝坩趙𨻶傳。
楊守和
劉□

閻鶴年 河南祥符人，舉人，十九年任，遷知醴泉縣。
劉一元 廣平人，二十一年任。
黃琮 廣東饒平人，舉人，二十五年任，登戊戌科進士，歷臨江知府。
成正位

賈棲鳳 廣平人，貢生，十一年任。
吳之瓚 舉人。
王之藩 清苑人。
黃雲瑞 舉人。
劉三顧
楊聯芳 四川西充人，萬曆

南海人，舉人，萬曆二年任，遷知崇義縣。
翟璇 山西靈石人，監生，三年任，遷岢嵐學正。
孫大中 山東范人，監生。
顏守芳 易人，監生。
周棨 陝西商州人，舉人，十

劉思聰 成山衛人。
張希周 山西蒲州人。
趙漢 定興人。
劉祖堯 慶陽人。
王祐 與知縣張元相同時。（據廣濟寺碑陰）
夏念東 江西南城人，舉人。

同。
曹璇 河南人，監生。
曹自守 河南人，監生。
崔仲賢 山東人，監生。
余璁 山西人，監生。
梁材 山東人，監生。
黃璧 湖廣人，監生。

李瑞
趙澤
祝安
路象
王徵
劉天祥

杜宏 直隸人，十四年任。
趙郁 訓導，下十九人同。
董壽 成化年任。
王輔仁 山東人，弘治二年任。
張達 山西人，十六年任。
林泰 山西人，十六年任。

黃璋
楊韶
關瀾
趙一化
管汝佐
李達
劉桐

湖廣興國人，舉人，二十七年任，遷重慶府同知。
孫汝孝　遼東人，三十年任。
徐登雲　永平人，三十二年任，遷南陽教授。
趙宗周　淶水人，三十五年任。
史祥　河南

年任。
曹濬　萬曆
張廣緒　崇禎年任。
李景　陝西人。訓導，下三十四人同。
張思温　二人並天順年任。
侯仁　成化年任。
董文獻

年任，遷知四川郫縣。
張時相　山東人，監生，十一年任。
謝朝紀　廣西宜山人，舉人。
王以霖　廣西横州人，舉人，十七年任。
馬翰如　雲南保山人，舉

遷助教。
邱尚策　湖廣黄岡人。
蘇光漢　廣東人，舉人，遷知□□縣。
吴愚　廣東人。
吴彰　廣東人。
韓初命　山東人，舉人，與袁黄同時遷參政。

馮良臣　山東人，監生。
季守巳　山西人，監生。
高雲鵬　山東人，監生。
于繡　山東人，監生。
江岷　遼東人，監生。
國登
侯守訓

吴珂
陳鑄
常震
翁益儒
鄭元康
盧應元

張德蔚　山西榆次人，正德三年任。
姜鴻　山東人，嘉靖六年任。
李綸　二十年任。
吕邦奇　十五年任。
祁杲　五十年任。
王錫恩　二十七年任。

李維喬
方元亨
張善
陳九齡
龔庶
任相

臨潁人，貢生。
伍成武　廣西全州人，舉人，天啟年任。
呂世臣　永平人，貢生。
丁志儒　萬全人，貢生。
姚應唐　曲陽人，貢生。
岳自勵　江南鹽城人，舉人。

湖廣人。
李思廉　山東鄒人。二人並弘治年任。
吳道　河南新鄭人，貢生，嘉靖元年任。
李盛　山東新城人，歲貢，五年任。
劉剛　山西朔州人，歲貢，七年任。

人，十九年任，遷知四川汶川縣。
盧時茂　河南封邱人，舉人，萬曆年任，遷知饒陽縣。
吳雲程　字鼇元，浙江孝豐人，己卯舉人，萬曆年任，遷知江西永豐縣。按：其字見湖州府志。
李自新

秦宇　廣東東莞人，舉人。
俞夢暘　浙江人，舉人。
王指南　南樂人，舉人。
王夢麟　湖廣黃梅人，舉人。
王業庠　山東人。
蔡體仁　江西人，舉人。

（已上據昌平吳志）

李東
韓相
蕭繼志
孫緒
郭翼民
周尚志
崔明經

張雲鳳　三十年任。
馬源
孫肯堂　山東人，四十一年任。
路文通　山東人，四十二年任。
張楷　山東臨清人，隆慶二年任。

劉璉
高其基
（已上據懷柔吳志）

賀麟臣 保定人，貢生。

劉裔 陝西朝邑人，舉人。

薛之斗 甯晉人，貢生。

何文炳 江南無爲人，貢生。

張洪齡 保定人，貢生。

康大鶚 青人，貢生。

李時麟 山西臨汾人，貢生，八年任。

劉鼇 山東恩人，貢生，十五年任。

王致和 山東掖人，歲貢，十九年任。

劉思讓 河南人，貢生，二十一年任。

田璽 遼東歲貢。

趙九真 河間人，舉人，遷國學。

鄭光伊 江西人，舉人，遷知□□縣。

段達 正定人，舉人，遷知□□縣。

董密 浙江會稽人，舉人，遷知海州。

李正 完縣人。

田京源 河間人，舉人。

程士升 字公寅，湖廣黃岡人，舉人。

朱運新 雲南人，舉人，歷遷邠州知州。

扈邦直 南樂人，舉人。

王弘祚

王天德

張瑄

傅淵

劉漸

劉志 歷城人，嘉靖年任，好著述，爲士法，開新渠，溉稻田。

白紳 山西人，六年任。

劉棟 山東棲霞人，萬曆三年任。

張朱 邢臺人，崇禎四年任。

孫枝茂 （已上據密雲薛志）

賈自初 蠡人，貢生。（已上據通州高志）

胡正 灤縣 訓導，下二十三人同。

張誠 二人 並天順年任。（據董方修學碑記）

馬純仁 山西人，三十年任，祀名宦。

魏瑾 山西人，歲貢，二十年任。

劉希契 武城人，歲貢，二十四年任。

劉瀾 陝西 宜君人，歲貢，三十四年任。

周大淵 山東濟甯州人，歲貢，三十五年任。

劉志道 遼東人，歲貢，三

傅皇謨 舉人，卒於任。

于日望 遼東人，歲貢，遷知臨城縣。

李庚 山西 芮城人，舉人，遷知任縣。

朱鳴時 雲南人，舉人，歷知肥城，遷知霸州。按：霸州周志鳴作光。

詳傳。

單三極 遼東人，歲貢。

李永昌 崇禎九年任，坿李景登傳。

滕維 訓導 ，下六十人同。

白信

高才

董濳

（據大士閣碑文，參順義黃志）

楊義

王九澤

盛德淳 （已上據順義黃志）

平定州人，嘉靖三十三年任。
楊時萃 陝西河州人，三十六年任。
楊時榮 陝西藍田人，三十八年任，遷趙州學正。
李允忠 遼東人，隆慶四年任。
韓枋 高陽

十八年任。
李志成 高城人，歲貢，三十九年任。
金世亨 山東長清人，歲貢，四十三年任。
賈□□ 山東濟甯人，貢生，四十五年任。
苑綬 山東人，貢生，隆慶年任。

靳文耿 晉州人，舉人，教諭。
劉盡誠 延慶衛人，歲貢。
葉汝馨 遼東鐵嶺衛人，歲貢。
趙嵩 江南興化人，監生，成化年任。訓導，下三十四人同。
吳欽 山東

李樂
汪崑
張廉 山東人。
趙胥 鳳陽人。
張本 山東人。
蔡淵 浙江人。

人，萬曆三年任。

賈漢儒 邢臺人，六年任，遷交城教諭。

彭燦 清豐人，十三年任。

杜淳 定興人，十五年任，遷保安學正。

劉玉成 遼東人，二十年任，遷長沙通判。

賀承教

于慎 山東人，貢生，元年任。

施希賢 山東人，貢生，三年任。

劉應禄 山東人，貢生，四年任，遷三河教諭。

程子書 大名人，貢生，六年任。

人，監生，成化年任。

武尚忠 山東人，監生，嘉靖年任。

侯聰 山東濱州人，監生，降河泊所大使。

于世昌 山東商河人，監生。

孫廷實 遼東人，監生，遷

吴雲 河南人。

賈淵 與王璲同時。（據大覺寺碑陰）

丁進 據同上。

歐陽源 江西人。

吕昂 浙江人。

錢冕 浙江人。

湖廣人，二十四年任。　楊棟 南皮人，二十八年任。　王邦彥 江南淮安衛人，三十二年任，遷教授。　張尊性 永年人，三十六年任。　王洗心 唐人，貢生，天啟

王三省 灤州人，貢生，萬曆二年任。　錢時文 滁州人，貢生，四年任。　何汝江 山東人，貢生，五年任。　孫珩 保定人，貢生。十一年任。　孫順祖

教諭。　李庇 山東濟甯州人，遷教諭。　元禾　陳仁 山西忻州人，監生。　周璟 遼東人，監生，嘉靖年任。　楊環 山西霍州人，監生，遷

韓櫝 南京六安人。　陳碩 詳傳。　屈居易 山西蒲州人。　陳翰 福建人。　蔡秉禮 山西人。　林廷拱 甘肅平涼人。　胡遵中

年任。

張所性 昌黎人，貢生，天啟年任。

趙思忠 龍門人，貢生。

孫明德 昌黎人，貢生。

王元佐 陝西褒城人，貢生。

趙獻策 鹽山人，貢生。

遼東人，貢生，十一年任。

李鶚 博野人，歲貢。

李時陽 永平人，歲貢。

錢永守 遼東人，歲貢，遷知口縣。

杜[illegible] 靜海人，歲貢，修學宮。

江之琨

教諭。

何濟時 河南南陽人，監生。

謝禄 河南汲人，監生。

侯養正 山東泰安州人，監生。

竇緒 山東壽光人，監生。

張百川 山東長清人，監

湖廣人。

楊鳳 河南人。

席應鍾 襄陵人。

王衮 齊河人。

齊居仁 彰德人。

薛國賓 山西蒲州人。

尹良相 河南磁州人。

焦文明　蠡人，貢生。

劉冀明　青人，貢生。六人，崇禎年任。（已上據通州高志）

開州人，歲貢，遷國子監助教。（已上據三河陳志）

生。

王濟時

周暉　福建人，監生，遷開化教諭。

蔣祺　山東益都人，監生。

王可立　河間人，監生。

李瑶　順德人，歲貢，遷山東王府教諭。

周呂　甯國人。

徐珊　江西金谿人。

賈元　山東黃縣人。

郭緒先　陝西郃陽人。

武思忠　山西人。

李應陽　隰陽人。

李鏞　山西

安一默棗强人，歲貢。

衛民河南真陽人，歲貢。

劉汝桂滄州人，歲貢。

楊永貴趙州人，歲貢。

趙一光山西人，歲貢。

貢蘭河間人，歲貢。

李逢陽人。

薄從周鎮定人。

許椿山東甯陽人。

王朝宗山西祁人。

孟璧遼東廣甯人。

王義對棗强人，舉人，遷知口縣。

鄭悟浙江

歲貢。

于思問 慶都人，歲貢。

張日觀 深澤人，歲貢。

楊□ 新安人，歲貢。

張鳳翔

崔復亨 保定府大甯衛人，歲貢。

李挺秀

人。

劉廷桂 高陽人。

鄭一貴 浙江人，舉人，遷知□縣。

孫崇祖 山西陽城人。

劉相卿 東光人。

徐來鳳 江西人，遷□□通判。

遼東金州衛人。（已上據武清吳志）

蔣祺 山東益都人。（據武清蔡志）

潘瑞 任邱人。

趙達 陝西人。

沈琇 山海衛人。

曹承胤 靜海人。

溫德基 昌黎人。

檀可棟 無極人。

白德全

武邑人。

馬汝德　新城人。

呂際可　山海衛人，遷知口口縣。

蘇顯佑　遼東復州人。

樊養賢　與史應聘同時。（據大覺寺碑陰）

趙士秀　坿趙國鼎傳。

	涿州學	房山學	霸州學	文安學	大城學	保定學	薊州學	平谷學
				樊有聲 與高承埏同時。(已上碑傳而外，據寶坻洪志)				

	涿州學	房山學	霸州學	文安學	大城學	保定學	薊州學	平谷學
漢	崔篆 涿郡安平人，王莽時，爲郡文學，以明經徵，建武初，幽州刺史，又舉賢良。(據後漢書崔駰傳)							

元	金	宋
崔元 學正，下七人同。 張德輝 涿州主校。（據蔡欽重修孔子廟碑）		
王賢 至正八年，教諭。（據馬守恕縣尹朱禮去思碑）		
孟錫 鄒國公五十二代孫，至正八年霸州學正。（據霸州周志） 管時敏		柳約 南直華亭人，大觀中上舍進士，爲霸州教授。（據霸州周志）
董榮 至元八年教諭。（據尚賢重修文廟記）		
韓進 教諭。 馬克忠 至正年教諭。（並據大城張志）	劉光國 天會年，教諭（據大城張志）	
張貴 至元年，教諭。（據平谷朱志） 胡從先 江西吉安路人，元		

任珪

喬寬

曹明南

詳傳。

樊德善

蔡士敏

龔仁實

分俸市書，儲西序。（據涿州吳志）

孔思晦

字明道，孔子五十四世孫，至大中范陽教諭。（據元史列

華亭人，霸州學正。（據霸州周志）

至正年，教諭，廉能善教，捐置九經。（據平谷朱志）

劉元皓

至正戊子任，調三河教諭，詳三河。

	明
傳）	曹賢 詳傳。學正，下四十三人同。　王穩 附曹賢傳。　楊珇 浙江鄞人，舉人。　孫珩 浙江餘姚人，舉人。　杜宣 浙江甌甯人，監生。
	藺讓 陝西潼關人，舉人。教諭，下二十五人同。　鄧逵 湖廣麻城人，舉人。　郭演 盧江人，舉人，遷御史。　盧謐 浙江黃巖人，舉人。
	蔡茂 洪武中任。學正，下二十一人同。　吴林 南直常熟人，舉人。　許鳳 廣東南海人，舉人，成化四年任。　孫球 浙江海鹽人，舉人，弘治十七年任，善
	姜勝 山東益都人，永樂間任。教諭，下四十三人同。　吕珣 浙江臨海人，貢生，正統年任。　李奎 河南祥符人，景泰年任，以易教，名宦。　廖與善
	劉儀 舉人，永樂年任。教諭，下四十七人同。　邵祥 舉人，天順年任，咨問賅博，遷長史。　權宗 成化年任。　王援 成化年任，勤教誨。
	張景福 洪武年任。教諭，下四十七人同。　舒紳 興化人，舉人，永樂年任。　姚勤 河南汝州人，舉人，宣德九年任，有師表，祀名宦。
	戎深 浙江鄞人。學正，下三十四人同。　武勱 山東臨淄人。　張煥 江西浮梁人。　張鳴鳳 自平谷教諭遷。　朱守爲
	李珽 山東濟甯人，舉人，正統年任，著清範。（據平谷朱志）教諭，下三十二人同。　賀延年 山西曲沃人，舉人，弘治年任。　賀遷 監生，弘治年任。

方寬 坿曹賢傳。
許端惠 浙江台州人，舉人。
丁友正 無錫人，舉人。
蔡廷周 江西豐城人，舉人。
張茝 山西安邑人，舉人。
秦鑑 無錫

司信 山東人，貢生。
陳宣 河南確縣人，貢士。
熊永昌 四川酆都人，舉人。
張綸 山西潞州人，貢士。
胡鉉 河南陳州人，貢士。
童塘 連城人，貢士

教。
高訓 江都人。
陳綸 應天舉人，十八年任，迪士有效，歷大名、東昌府教授。
陳欽 福建莆田人，嘉靖二年任，博學善誘。
朱禮 河南南陽人，舉人，嘉靖年任，善訓誨。

江南武進人，景泰年任，善課士，名宦。
韓宏 河南湯陰人，貢士。
吾嵩 浙江開化人，舉人，弘治十二年任，十五年成進士，興廉興孝。
王鏜 正德年任。
房通 江南

王臣
王周 二人弘治年任。
竇慶 舉人，遷伴讀。
李茂暘 二人正德年任。
劉珊
裴連
呂進學 山東濮州人。

袁志 湖廣雲夢人，景泰四年任。
梁經 山東濮州人，舉人，正統九年任。
陳口 長洲人，舉人，天順四年任。
吴禮 福建莆田人，舉人，成化三年任，勤教誨。（據保定成志）

福建莆田人，舉人，以經訓士，名宦。
姚淵 浙江天台人，舉人。
侯贊 河南通許人，監生。
楊奇逢 陝西人，舉人。
楊[illegible] 陝西人，舉人。
孟盛 山西祁人，監生。

張鳴鳳 山東清平人，進士，嚴師範，拔單寒，祀名宦。
王璽
梅甯
都茂
王尚賢 四人俱監生，正德年任。

人，舉人。
高遷 山西霍州人，舉人。
趙文顯 甘肅平涼人，舉人。
李邦甯 陝西三原人。
林廷衮 福建侯官人，舉人。
李聰 福建人。

王舜章 浙江山陰人，貢士。
趙茝 江蘇江陰人。
彭希宗
張國賢 山東蒲臺人。
張洋 陝西渭南人，貢士。
南征吉

傅寄 山東平原人，隆慶元年任，士有薄倫常者，深鄙之。
金科 河南鄭州人，隆慶中任，善教。
李一才 山東嘉祥人，隆慶中任。
司道亨 無極人，萬曆中任。

臨淮人，正德十五年任。
郝尚禮 陝西郿人，舉人，嘉靖元年任，善誘貧，分俸卹，撰三貞烈碑記。
吴道 河南新鄭人。
何漣 福建人，貢生，嘉靖十二年任。
董玉琳

李詩 河南孟人。
榮秀 山東曹人。
趙越 山西平定人。
武尚文 江南安東人。
李傑 山東掖人。
朱鵬 河南甌師人。九人嘉靖年任。

高琳 河南祥符人，舉人，六年任，施教無倦。
富序 浙江錢塘人，監生，十二年任，士稱仁恕。
陳陞 浙江餘姚人，儒士，成化十七年任。
石鈞 湖廣蒲圻人，監生，弘治元年任。

葛盛挺 南直潛山人，監生。
劉樞 遼東人，舉人。
張世義 山東曲阜人，監生。
張受道 山東人。
蔡思雍 福建晉江人，舉人。

劉芳 陝西咸甯人。
黃鑑 福建邵武府人。
龔勳 遼東廣甯衛人。
張大綸 山西甯武關人。
杜士行 遼東易州衛人。
馮晉 河南永甯人。
盧憲 山西

劉存義 湖北襄陽人，舉人。
王裔 河南祥符人，監生。
李遇春 河南襄陵人。
陳表 安慶人，選貢。
張大魁 山東壽光人，監生。
田蘭 山西

張九皋 陝西人，貢士。
湯敬 河南人，貢生。
李之曄 江西盧陵人，舉人，遷知交河縣。
李守真
高陸 二人坿李琮傳。
王棟 貢生，遷知應州。
戴鶴齡

華夏 坿司道亨傳。
成祁 北直人。
蔣正 南直淮安人，萬曆中任，士風頹敝，多所振飭，致仕。
王紹翰 陝西三原人，舉人。
原松英 山西人。

山東陽穀人，舉人，十七年任，士稱師表。
張藩 山西蒲州人，舉人，二十年任。
張鍾 江南舍山人，貢士，二十八年任。
徐鵬 河南鈞州人，貢士，三十一年任。
黃廷佐

甄實 陝西人。
周自任 河南洛陽人，舉人。
傅商任 遼東人。
王侍 新樂人。四人隆慶年任。
温良 湖廣鍾祥人，舉人。
陳言 浙江

胡昱 浙江海鹽人，監生，五年任。
周松 浙江崇德人，監生，十五年任，善教士。
索文 河南洛陽人，監生，正德二年任。
李恭 河南武安人，監生，八年任。
郭秩 河南

高世英 湖廣人，監生。
鄭思恭 河南新安人，貢生。
楊時亨 安肅人，貢生。
戴尚志 浙江蕭山人，舉人。
戴軒冕 山西交城人，貢生。

榮河人。
張雲霄 山西趙城人。
陳節 浙江臨海人。九人監生，嘉靖年任。
李萼 陝西臨潼人，舉人，隆慶三年任。
高杞 山東泰安州人，監生，三年任。
劉學周

石州人，嘉靖間任，修學宮。
張文舉 隴西人，監生。
趙有朋 隴西人，監生。
趙彬 河南祥符人，監生。
霍孝先 青城人，貢生。
關志拯 廣東南海人，舉人。（已上據涿州吴志）

泰興人，貢生。
唐守禮 浙江人，萬曆二年任。（據房山縣學復俸廩置學田碑記）
李廷芳 元城人，舉人，善教，旁通星曆。
蕭善諫 上澤人，崇禎末任，善教。
彭鎬 江西

王保鼎 大名人。
丁秉彝 北直人。
張國泰 保定人，舉人，著風範。
齊之宸 河間人，士爲立清風碣，以禮教，著有禮記提綱，遷國子監助教。
徐騰雲

山西洪洞人，貢士，三十五年任。
周官 山東濱州人，貢士，三十八年任。
游鎧 遼東廣甯人，貢士，四十二年任。
李秀之 江西浮梁人，舉人，隆慶二年任。
王謨 山西壽陽人，貢士，二

鄞人，舉人。
李鐸 山西曲沃人。
劉遵 東光人。
江子忠 山東德人。
郭三俊 河南登封人。
李光蓁 山西澤人。
曾淶 廣東番禺人。

洛陽人，十二年任。
柳紹文 臨淮人，監生，嘉靖元年任。
口鐸 七年任。
孫承宗 山東濟甯人，監生，十二年任。
李桐 河南洛陽人，監生，十三年任，修志。

龐進賢 永平人，舉人。
李仲武 保定人，貢生。
李勝鵬 肥鄉人，舉人。
葉士元 順天人，舉人。
莫天麒 貴陽人，舉人，士重其教，祀名宦。
沈弘業 慶都人，舉人，善

遼東人，監生，五年任。
王堯民 高陽人。
李孺甯 河南祥符人，舉人，萬曆七年任，遷知山西口口縣。
陳汀 冀州人，二十八年任。
于先甲 雲南人。

張岐 萬曆初遷自文安訓導。（據文安楊志）
唐潤 遷安人。
張惟高 臨淮人，貢士。
梁勤 河南嵩人，貢生。
王鼎 獲邑人，拔貢。
李秋芳 安州人。

臨川人，儒士。訓導，下二十四人同。
周文 江西安福人，貢生。
徐鑑 金山人，貢生。
朱貞 山東壽張人，貢生。
劉錫 山東館陶人，貢士。
畢珣 貴池人，貢士。

遼東人，崇禎年任。
徐潮 遼東人，嘉靖十一年訓導，恩洽弟子，祀名宦。（據霸州周志）訓導，下二十二人同。
胥純 詳傳。
李昇 遼東人。
王誥 山東

年任。
司守道 山東淄川人，貢士，萬曆元年任。
馬車 廣平人，貢士，四年任。
侯三接 肅甯人，貢生，七年任，遷昌平學正。
莊用賓 江西太和人，舉

張元崑 陝西固原人。
李大化 山東歷城人。
涂尤 江西豐城人，舉人。
吳應 江西臨川人，舉人。
趙君寵 河間衛人，歲貢，分俸課士。
侯國 陝西盩厔人，舉人，官

文璋 山東嘉祥人，十九年任，範躬訓士。
嵇集卿 河南淮安人，監生，二十六年任。
李東 山東館陶人，監生，二十七年任。
李撫 山東蓬萊人，監生，三十二年任。
李東先

以經誘，祀名宦。
門洞開 安平人，舉人。
越其杰 貴州貴陽人，舉人。
蘇爲梯 棗强人，舉人，國子監博士。
劉寰 湖廣人，舉人。
周世璽 湖廣人，舉人。

李奇才 雲南人。
門廷高 遼東人。
米從薦 北直人。
章志龍 貴州人，舉人。
吳加明 貴州人，舉人。
施大夏 浙江人，舉人。
孫榮先

張三畏清苑人。
蔡春遇山東海豐人，舉人。
曹全
王民俊
沈朝宣浙江仁和人，舉人。
史繼賡

陳耀鹽城人，貢士。
王尚賢河南南陽人，貢士。
蔣永甯陝西臨潼人，貢士。
宋溥武原人，貢士。
張謨山東單縣人，貢士。
鄧恭山東

鄒平人。二人，嘉靖中任。
張東周
胡從化二人坿胥純傳。
黃芳湖廣江夏人，隆慶中任。
林瑄福建南平人，有功學校。
蕭汝陞福建長樂人。

人，十年任。
王珩完人，貢士，十二年任。
黃五豐改自懷柔知縣，十二年任。
毛秉光浙江餘姚人，舉人，十四年任。
洪邦政福建人，舉人，十九年任。

至四川參政。
陳泰交福建莆田人，舉人。
趙範可鹽山人，歲貢。
李冕河南祥符人，舉人。
尚登雲山西陽曲人，舉人，課士如子弟。
張進階山西浮山人，歲

山東東阿人，三十八年任，隨叩隨應，祀名宦。
王鶴陝西靈臺人，監生，四十六年任。
郭魯山東濟甯州人，監生，隆慶五年任。
董用成元城人，萬曆四年任，善訓，不立崖岸，遷西安教授。

（已上據薊州張志）
陳經
王鑾
林遇春萬曆年任。（據文廟碑）
柏廷桂遷自香河教諭。（據香河劉志）
陳溥山東樂安人，舉人，多

永年人。
張光先保定人。
么士貴真定人。
李躍門獲鹿人。
章彪江西上高人，舉人，正統年任，造就者衆，入名宦。（據平谷朱志）
訓導，下四十四人同。

福建人，舉人。
盧資生 衡水人，貢生。
沈第 邢臺人，貢生。
吳大業 雲南人。
趙夢竹
曹建章 （已上據涿州吳志）
張謙 河南封邱人。訓導，下七十人同。

博平人，貢士。
榮秀 山東曹人，貢士。
田芃 貢士。
鄧肱 貢士。
劉朝佩 廣西雷化人，貢士。
楊應奎 陝西藍田人，貢士。

劉宸 河間人。
王之肱 河南尉氏人。
李柏 山東滋陽人。
白可簡 山西交城人。五人並萬曆中任。
宮岩 高陽人，萬曆中任，樸實訓士。
楊進思

車鳴時 廣東歸善人，舉人，二十五年任，賞拔皆知名士，遷知福建政和縣。
洪試 浙江壽昌人，二十五年任，士稱萩林玉尺。
張濟 保定後衛人，貢生。
陳超然 廣東南海人，亞

貢。十九人，萬曆年任。
鄭崇胤 淶水人，歲貢。
楊其善 永平人，歲貢。
尚周文 鉅鹿人。三人，天啟年任。
王可立 內黃人，歲貢。
趙應桂 貴州赤水衛人，舉

王朝完 祁州人，九年任。
范調元 山東人，十一年任。
王大綸 遼東人，訓士無遷就。
孟自習 河南延津人，十六年任。
梁雍 廣西柳城人，舉人，十

所成就，祀名宦。訓導，下三十五人同。
吳化 江西南昌人，以慎勤訓，祀名宦。
崔拯 遼東人，監生。
丁璘 遼東人，監生。
邢宣 河南鄭州人。
楊輅 河南

許堂
陳烜
劉廣 三人俱監生，成化年任。
何漣
段明
張倫
宋寬 四人俱監生，弘治年任。
石甯
楊寬

徐旭 字孟昭，洪武乙丑進士，禮科給事中，忤旨，降。（據野獲編十） 于韜 浙江臨海人，景泰二年任。（據城隍碑） 孫沂 字景沂，山東鄆城人，舉人，以剛毅著，遷知本州。 李旻 河南

劉祖堯 坿李琮傳。 李時春 真定人，貢生。 張翥 遼東人，貢士。 趙佩 山東壽光人，貢士。 李秉直 貢士。 黃繼元 坿李琮傳。 馬永亨

山東即墨人。 倪三善 萬曆中任。 張國維 萬曆中任。 門庭義 朱正寅 貴州人，貢生。 胡鋭 宣府人，貢生。 賈師顔 慶雲人，貢生。

元，三十五年任。 劉文志 安肅人，貢生，三十五年任。 汪桂 蠡人，貢生，三十八年任。 李崇德 盧龍人，貢士，四十年任。 楊元棟 淶水人，貢士，四十二年任。

人。 郭尚南 陝西安塞人，舉人，遷知鉅鹿縣。 李日培 棗强人，歲貢，遷知伏羌縣。 張夢白 山東文登人，歲貢，遷知鄒城縣。五人，崇禎年任。 王時雍 江西廬陵人，儒

七年任。 施良會 詳傳。 張瓚 高邑人，歲貢，四十七年任。 劉應春 河南涉人，歲貢，天啟元年任。 崔進廷 無極人，歲貢，三十三年任。 張圻 山西

鄭州人。 陳瑄 山西臨汾人，以身教，祀名宦。 王昃 陝西耀州人，課士勤，祀名宦。 王都 河南蘭陽人，監生。 杜美 山東曹人，監生。 孫傑 河南睢州人，監生。

裴剛 張宗彝 馬諒 五人並監生，正德年任。 王琚 山東平原人，監生，嘉靖年任。 趙時暘 山東膠州人。 孟陽 遼東錦州衛人。 陳宗器

陝西長安人。
周渤山東曹人。
邵鼐山東益都人。
司言山東平陰人。
常旺河南信陽州人。
袁希憲山東濟甯州人，遷滄州學正。
楊諤山東

崔珍山東東阿人，監生。
法章陝西扶風人，善教，丁憂。
袁澣山東館陶人。
郭儀山東膠州人，監生。
黃應詔
楊一科山東招遠人。

岢嵐州人，歲貢，六年任。
劉一鯤雄人，歲貢，崇禎三年任。
陳祚口山西陽曲人，歲貢，四年任。
許嗣復北直保定人，歲貢，九年任，遷潼關衛教授。
徐佩弦

士，景泰年任，善啟迪，遷知義烏縣。（據大城張志）
訓導，下四十三人同。
陳孜江西太和人，儒士，教貫經史。
王章
管忠
二人，成化年任。
牟宗義
弘治年任，善啟

汪茂棠浙江仁和人，舉人，四十四年任，遷知河南裕州。
杜璇山東泰安州人，貢士，天啟年任。
張允濟山東滕人，三年遷安東衛教授。
曾夢麟任邱人，貢士，四年任，遷河南汝甯

崔文奎無極人，貢生。（已上據霸州周志）

陝西韓城人，舉人，遷廣東知縣。
黃榜一字洲，晉州人，貢生，遷玉田教諭。（已上據房山佟志）

杞人。
鄧忠信江西吉水人。
田秬山東高密人，舉人。
袁通浙江仁和人，舉人。
劉宣山東平度州人。
朱潤山東淄川人。
李樸河南汲人，貢生。

唐禝 武進人。 陳璉 山東濟甯州人，舉人。 亢時雨 陝西藍田人。 謝庸 江都人。 程約 河南儀封人，貢生。 楊宣和 江西進賢人。 蔡端 福建

教授。 趙喬森 深州人，貢士，七年任。 張于陛 棗强人，副貢，崇禎元年任。 劉新民 真定人，選貢，四年任，以經世文課士。 白瑀 新安人，貢生七年任。

迪。 袁傑 善啟迪。 劉益 弘治年任。 馮彪 李表 黃繼宗 遼陽人。三人，正德年任。 陶圻 彭澤人，正德年任，綽有師範。（大城張志

唐山人，歲貢，十三年任。 口有年 山東人，監生，正德元年任。訓導，下十人同。 蓋希賢 四川宜賓人，六年任。 王口民 陝西鄜州人，十五年任。 馬化麟

王津 河間人，遷知口口縣。 柳邦靖 保定人。 李知直 遼東人。 康進德 侯之翰 保定人。 顧思義 天津人。 張正聲

海豐人。 高箴 山東蒙陰人，遷邯鄲教諭。 張達 山東萊蕪人。 張汝言 陝西狄道州人。 宋章 遼東廣甯衛人。 武城 山東樂安人。十四人，監生，嘉靖年任。

人。鄭恢字宏道，浙江永嘉人，鑄百斤鐵鼎，置儒學。任懌浙江臨海人。李巖河南濟源人。賈珍山東平陰人，監生。郭禮江西分宜人。

郭育才山西陽城人，貢士，九年任。宋秉忠天津衛人，貢士，十五年任。陳一甯浙江臨海人，貢士，成化年任。訓導，下四十五人同。楊泰弘化十一年任。

入名宦）鄒宗仁河南陳人。馬希周山東平原人。朱憲 李時中山東新泰人，嘉靖年任，鼓舞士志。盛世山西太原人。張懷遠

河南陳州人，監生，十三年任。黃鳳儀河南項城人，十四年任。屈謹陝西華陰人，十七年任。金英福建閩人，二十三年任。韓晉山東臨清人，二十四年

永平人。智秉乾真定人，善啟迪，祀名宦。孟養氣棗强人，歲貢，善教，祀名宦。張四教遼東人。李樂廣平人，歲貢，多所成就，祀名宦。牛廷璽

孟宗魯遼東錦州衛人，監生，隆慶二年任，五年遷武清教諭。馬廷瑩山東德州人，監生，隆慶五年任。王嘉猷廣宗人。魯應芳 王用賢蠡人。

吳潾浙江烏程人。
盧果藁城人。
黃棟河南信陽州人，監生。
張翼山東聊城人。
史禟青州人。
宋惟精河南長葛人。
單文魁

陳棟
周瑩江西崇仁人，貢士，嘉靖二年任。
周易八年任。
鄧美材山東平陰人，貢士，十二年任。
徐宗堯山東日照人，貢士，十五年任。

陝西富平人。
何雄清和人。
范璧山東即墨人。
李伸山東汶上人。
姜秉彝山東莘人。
柴廷佐遼東人。
牛利仁坿張應武傳。

任。
王志願河南人，三十一年任。
羅仲儒陝西西甯人，三十九年任。
劉學周遼東益州人，四十四年任。後裁。（已上據保定成志）

清苑人。
杜允元贊皇人，恩貢。
宋多祚任邱人。
王業成安州人，遷知口縣。
陳所聞棗强人，遷口口教諭。
許汝高永平人。

趙賓
曹良器深澤人，萬曆十八年任。
臧萬遼東廣甯人，貢生，二十二年任。
張問行遼東人。
湯聘尹遼東人。
杜溱山西人。

山東萊陽人。

滕論 山東掖人。

郭世相 河南閿鄉人。

侯世佐 山西榆次人，監生。

耿璋 河南伊陽人。

雷雹 山西蒲城人，歲貢。

王志敏

閻憲 山西岢嵐州人，貢士，二十五年任。

張文進 陝西臨潼人，貢士，二十五年任。

雷電 陝西臨潼人，貢士，二十五年任。

李從獻 河南滎澤人，貢士，二十八年任。

十二人，嘉靖年任。

金守邦 浙江義烏人，隆慶年任。

徐士毅 江南繁昌人，萬曆年任，成士衆，徵修薊鎮志，遷知商水縣。

王佐 陝西鎮安人。

張宏文 易州人。

趙從教 安肅人。

魏一浩 蠡人。（已上據薊州張志）

王時賓 遼東人。

趙之琴 遼東人。

張延祚 滄州人。

王節 定興人。

張鵬南 天津人。（已上據平谷朱志）

陝西淳化人。

宋詔 河南武安人。

閻待聘 廣東樂平人。

林塘 山西大同人。

王守中 淮安人。

杜漢 河南永城人，監生。

張文繡 甘肅平涼人。

陳韜珠 河南鈞州人，貢士，三十二年任。

牛質 山東邱人，貢士，三十三年任。

閻士俊 陝西平涼人，貢士，三十五年遷知東明縣。

張士豪 河南睢州人，貢士，三十六年任。

端世臣 阜城人，歲貢。

張鎬 樂亭人。

崔希第 淶水人。

李春元 咸安人，歲貢。

楊騰 井陘人，貢生。

許天祐 定州人。

韓廷臣

王之翰 山東膠州人。
楊佩 遼東人。
梁希哲 獲鹿人，貢生。
鍾企和 定興人，貢生。
葛邦勳 定興人，貢生。
王應時 清苑人，貢生。
賈玠 山西

陳言 山東歷城人，貢士，四十年任。
鄧楠 山東膠州人，貢士，四十三年任。
口立朝 遼東人，貢士，隆慶元年任。
何梁 山西代州人，貢士，四年任。
張岐 獲鹿

大甯都司人，歲貢。
張茂華 山西曲沃人，歲貢。
王道亮 興濟人，歲貢。十二人，萬曆年任。
顧文光 皁平人，歲貢。
傅良弼 新樂人，歲貢。二人，天啟年任。

徐溝人，貢生。
許尚文山西岢嵐州人，貢生。
蔣壽松永明人。
孫時彥河南孟津人，貢生。
趙應午宣化人，歲貢。
何夢夔湖廣人，貢生。

人，貢士，六年任，遷涿州學正。
賈漢儒廣平人，貢士，萬曆年任。
游雲衢廣東瓊州人，貢士，三十年任。
胡紹祚山東肥城人，貢士，五年任。
任守約灤州人，貢士，八

臧爾行安州人，歲貢。
劉進科曲周人，歲貢。
路鴻逵山西平順人，歲貢，遷知河南淇縣。
薛茂桂容城人，歲貢。
蘇就大交城人，歲貢。
劉邦輔萬全都司人，歲

馬宗信 行唐人。

宋咸亨 新城人，貢生。

王愛 祁州人，貢生。

李遇 南宮人，歲貢。

葉良綱 雲南太和人，歲貢。

陳大禮 浙江秀水人，監

年任。

劉應旂 河間人，貢士，九年任，遷行唐教諭。

李四知 河間人，貢士，十二年任。

韓謙 南皮人，貢士，十四年任。

張子靜 江西安福人，貢士，

貢。六人，崇禎年任。（已上除傳據大城張志）

生。

高丕承　河間人。

靳元捷　正定人。

裴養質

賈杰　定興人，監生。

周應淅　鄞縣人。

閻嘉興

十年任。

陳九齡　元城人，貢士，二十二年任。

傅世亨　新樂人，貢士，二十四年任，遷陝西蒲城教諭。

張三畏　清苑人，貢士，二十八年任，遷新河教諭。

徐敦化

田一端

宋仕

李第 隆平人，貢生。

趙東湖

劉克肅 永平人，貢士。

郭建極 邯鄲人，貢生。（已上據涿州吴志）

東光人，貢士，三十五年任。

李時新 山西安邑人，貢士，三十五年任。

吴楚宫 湖廣崇陽人，貢士，三十九年任。

李文蘭 慶都人，貢士，三十九年任。

許三戒 河間衛人，貢士，

四十二年任。

張瓚　高邑人，貢士，四十三年任，遷保定教諭。

王世奇　甯晉人，貢士，四十六年任，遷知陝西麟遊縣。

呂際可　山海衛人，貢士，四十七年任。

谷中秀

安州人，貢士，天啟元年任，遷知浙江永康縣。

李經陽 陝西長安人，恩貢，四年任。

劉三鳳 河南郟人，貢士，七年任。

息養性 東光人，貢士，崇禎四年任。

郭養氣

李名臣 高邑人，貢士，十三年任，修學宫，遷景州學正。詳傳。

杜堪任 永平人，選貢，十五年任。（已上據文安楊志）

華陽吴祖椿校

官師志九

前代鹽鐵等官表五

德清傅雲龍纂　江陰繆荃孫覆輯

或司財，或統軍，或理獄，不盡治民，然皆治竟者，不類爲類，仿雜志例也。作鹽鐵等官表。

漢制，凡鹽官、鐵官，隨事廣狹，置令長及丞，秩次如縣。續漢百官志：其郡有鹽官、鐵官、工官、都水官者，隨事廣狹，置令長及丞，秩次皆如縣道無分士給均本吏。注曰：凡郡縣出鹽多者，置鹽官，主鹽稅；出鐵多者，置鐵官，主鼓鑄；在所諸縣均差吏更給之，置吏隨事。自武帝元狩四年，于漁陽郡之泉州縣置鹽官，又于漁陽縣及涿郡置鐵官，元帝初元五年廢，永光二年復。史記武帝紀：元狩四年，置鹽、鐵官。漢地理志：漁陽郡縣，漁陽有鐵官，泉州有鹽官，涿郡有鐵官。通考：武帝元狩四年，漁陽、泉州置鹽官，漁陽郡置鐵官。元帝初元五年，罷鹽、鐵官。册府元龜：元帝時常罷鹽、鐵官，三年而復之。按：周禮，鹽人掌鹽之用，非征課職也。設官征税，始管子。秦賦鹽、鐵，利二十倍于古。漢興未改。見史記平準書。漢初省賦，其在諸侯王國者，皆取以自富。武帝時，置官領於大司農。昭帝時，郡國舉賢良文學，願罷鹽、鐵官後，乃旋罷旋復。後漢光武建武初，漁陽有舊鹽、鐵官。册府元龜：後漢光武建武初，彭寵爲漁陽太守，有舊鹽、鐵官。資治通鑑四十：建武二年，時北州破散，而漁陽差完，有舊鐵官。按：通鑑補，鐵上補鹽字。明帝時，官自鬻鹽，此爲後世鹽官置鹽之椎輪，尋廢。文獻通考：明帝時，官自鬻鹽，時穀貴，縣官用度不足，尚書張林請官可自鬻，帝以林言爲然。獻帝建安初，置使者，監賣鹽，時衛覬議，以爲鹽宜依舊置使者監賣。魏武于是遣謁者僕射監鹽官。按：鹽官有監，與今巡鹽相近，爲初置所無。衛覬所謂依舊者，似指明帝時言。章和二年，和帝于夏四月詔罷鹽、鐵禁，縱民煮鑄，入稅縣官如故事。永元十五年，復置涿郡故鹽、鐵官，泉州縣亦有鐵官。後漢和帝紀：和帝章和二年即位，夏四月戊寅，詔昔孝武皇帝致誅胡越，故權收鹽、鐵之利，以奉師旅之費。中興以來，匈奴未賓，永平末年，復修征伐。先帝即位，務修力役，然猶深觀舊典，復收鹽、鐵，以備不虞，而吏多不良，動違上意，先帝恨之，故遺戒郡國罷鹽、鐵之禁，民煮鑄入稅縣官如故事。永元十五年秋七月丙寅，復置涿郡故鹽、鐵官。冊府元龜：永元十五年，復置涿郡故鹽、鐵官。按：續漢郡國志，涿郡故安劉昭注補云：本紀永元十五年，復置縣鐵官。通考云，永平十五年，復置涿郡故安鐵官。據此，則漢故安在今易州境，不當入志。然和紀明云，置涿郡官，如謂劉昭所見後漢書本和紀，安不作鹽，而章懷和紀注引鹽官、鐵官，是所見本正作鹽，不作安，如謂漢志，涿有鐵官，無鹽官，而史文多異，即如漢志漁陽有鐵，泉州有鹽，續志則云漁陽有鐵，泉州有鐵，其爲鹽、鐵時易未可知也。通考既謂元爲平，保無更謂鹽爲安？據續志，後漢漁陽、泉州，當有鐵官。又資治通鑑五十九，幽州牧劉虞通漁陽鹽、鐵之饒。胡三省注：漁陽舊有鹽官、鐵官。唐使之見於幽州者，節度、防禦、經略、鎮守而外，詳統部。曰宣諭使，諭一作慰，曰招撫使，曰營田團練使。按：各使據新、舊唐書，玉海實録，元稹集。又有應援使，使于幽州與否，未詳。鹽池六，一在幽朔，據玉海百八十一。置監一，録事一，史二。唐百官志：鹽池監一人，正七品，掌鹽功簿帳，有録事一，史二。五代時，又有招討使，據冊府元龜。教練使，據遼史拾遺。遼南面有錢帛都點檢，據遼百官志。按察刑獄使，續文獻通考：遼南面有按察諸道刑獄使，有分決諸道滯獄使，官不常設，有詔則選才望官充之。鹽鐵使司，王圻續文獻通考：遼南面官上司有鹽、鐵使司。遼百官志：五京諸使職名，某京某使，王崇重熙中爲上京鹽、鐵使。又轉運使司，有轉運使副使，同知，判官。遼百官志：南面轉運使司，亦曰燕京轉運使司。又：轉運使職名，總目某轉運使，某轉運副使，同知某轉運使，某轉運判官。又警巡院使，南京及霸州處置司使。遼百官志：南京警巡院，南京處置使司。統和二十七年，廢霸州處置司。遼聖宗紀：統和二十七年四月庚戌，廢霸州處置司。又南京宣徽院，有宣徽使，知宣徽院使事，知宣徽院事，宣徽副使，同知宣徽院事，又有南京統軍使，招討使。並據遼史。宋燕山路有轉運使。據宋史呂頤浩傳。金中都都轉運司使，正三品；同知，從四品；副使，正五品；判官六，從六品；都孔目官二，知法二，從八品。（金百官志：都轉運使，正三品，掌稅賦錢穀、倉庫出納、權衡度量之制。同知，從四品。副使，正五品。都勾判官，從六品，紀綱衆務、分判勾案。户籍判官二員，從六品，專管拘收徵剋等事。度支判官二員，從六品，掌勾判、分判度支案事；鹽鐵判官一員，從六品。都孔目官二員，勾稽文牘。知法二員，從八品。惟中都路置都轉運使，餘置轉司。續文獻通考：金初，設轉運司，後詔中外惟都轉運依舊，專管錢穀，其餘諸路轉運，皆兼于按察，其都轉運使有正、副使等員。）按察司，正三品；副使，正四品；簽按察司事，正五品；又有判官、知事、知法等員。（金百官志：按察司，本提刑司，承安三年以上京、東京等提刑司併爲一提刑使，兼宣撫使勸農採訪事，爲官稱。副使以兼宣撫副使、判官爲名。復改宣撫爲安撫，各設安撫判官一員、提刑一員。安撫司，掌鎮撫人民、稽察邊防軍旅、審録重刑事。安撫判官則銜内不帶勸農採訪事。承安四年，改按察司，貞祐四年罷，止委監察採訪。使一員，正三品，掌審察刑獄、照刷案牘、糾察濫官汙吏豪猾之人、私鹽酒麴並應禁之事，兼勸農桑，與副使、簽事更出巡案。副使，正四品，兼勸農事。簽按察司事，正五品，承安四年設。判官二員，從六品，大定二十九年設。泰和八年十一月，省議以轉運司權輕，州縣不畏，不能規措錢穀，詔中都都轉運，依舊專管錢穀事，自餘諸路按察使並兼轉運使，副使兼同知，簽按察兼轉運副，添按察判官一員，爲從六品。添知事一員。知法二員，從八品，書史四人，書吏十人，抄事一人，公使四十人。右中都並依此置。）又中都都警巡院使一，正六品；副使一，從七品；判官二，正九品；司吏，女直三及漢人十五。（金百官志：諸京警巡院使一員，正六品，掌平理獄訟、警察别部，總判院事；副一員，從七品，掌警巡之事；判官二員，正九品，掌檢稽失，簽判院事；司吏，女直，中都三人，漢人，中都十五人。）又中都有統軍、經略、防禦、推排、勸農、大倉等使，又有度支官，鹽鐵官。（詳表注。）寶坻鹽使司使一，正五品。副使二，正六品；判官，正七品；管勾，正九品；又有同管勾、都監、監同、知法等員。（金百官志：山東鹽使司與寶坻、滄、解、遼東、西京、北京凡七司。使一員，正五品，他司皆同。副使二員，正六品；判官三員，正七品。泰和作四員，寶坻、解州設二員，餘司皆一員。掌幹鹽利以佐國用。管勾二十二員，正九品，寶坻設六員，掌分管諸場發買、收納、恢辦之事。同管勾五員。都監八員；監、同各七員。知法一員。）中都都麴使司，從六品；副使，正七品；都監二，正八品。（金百官志：中都都麴使司使，從六品。副使，正七品，掌監知人户醞造麴蘗，辨課；都監二員，正八品，掌簽署文簿、檢視醞造。）又香河有酒稅使。（詳表注。）元都水監二，從三品；少監一，正五品；監丞，正六品；經歷、知事各一，令史十，蒙古筆且齊一，回回令史一，通事、知印各一，奏差十，壕寨十六，典史二。至元二十八年置。二十九年，領河道提舉司。大德六年，升正三品。延祐七年，仍從三品。元百官志。志又云：都水監掌治河渠，并隄防、水利、橋梁、牐堰之事。大都河道提舉司，提舉一，從五品；同提舉一，從六品；副提舉一，從七品。京畿都漕運使司，正三品；同知二，正四品；副使二，正五品；判官二，正六品；經歷一，正七品；知事一，從八品；提控案牘兼照磨二。元百官志。志又云：世祖中統二年，初立軍儲所，尋改漕運所。至元五年，改漕運司，秩五品。十二年，改都漕運司，秩五品。十九年，改京畿都漕運使司，秩正三品。二十四年，省同知、運判、知事各一員。延祐六年，增同知、副使、運判各一員。其後定置官員已上正官各二員，首領官四員。吏屬：令史二十一人，譯史二人，回回令史一人，通事一人，知印二人，奏事二十六人，典史二人。其屬二十有四：新運糧提舉司，秩正五品。至元十六年始置，管站車二百五十輛，隸兵部。開設運糧壩河，改隸户部。定置達魯噶齊一員，都提舉一員，同提舉二員，副提舉一員，吏目一員，司吏八人，奏差十二人。又云：都漕運使，秩正三品，掌御河上下至直沽、河西務、李二寺、通州等處儹運糧斛。至元二十四年，自京畿運司分立都漕運司，于河西務置總司，分司臨清。運使二員，正三品；同知二員，正四品；副使二員，正五品；運判三員，正六品；經歷一員，從七品；知事一員，從八品；提控案牘二員，内一員兼照磨，司吏三十三人，通事、譯史各一人，奏差一十六人，典史一人。京師及河西務、通州倉，各置監支納，正七品；大使，從七品；副使，正八品。按：元百官志，京師二十二倉，秩正七品。萬斯北倉，南倉，千斯倉，永平倉，永濟倉，惟億倉，既盈倉，大有倉，屢豐倉，積貯倉，已上十倉，各置監支納一，正七品。大使二，從七品。副使二，正八品。豐穰、廣濟、廣衍、大積、既積、盈衍、相因、順濟八倉，各置監支納一，大使一，副使二。通濟、慶貯、豐潤、豐實四倉，各置監支納一，大使一，副使一。河西務十四倉，永備南、北倉，廣盈南、北倉，充盈倉，已上五倉，各置監支納一，正七品；大使二，從七品；副使一，正八品。崇墉、大盈、大京、大稔、足用、豐儲、豐積、恒足、既備九倉，各置監支納一，大使一，副使一。通州十三倉，有年、富有、廣儲、盈止、及秭、迺積、樂歲、慶豐、延豐九倉，各置支納一，大使二，副使二。足食、富儲、富衍、及衍四倉，各置監支納一，大使二，副使一。大都陸運提舉司，正五品。至元十六年，始置運糧提舉司。延祐四年，改今名。提舉二，從五品；副提舉一，從七品；吏目一，司吏六，委差十。元百官志。志又云：大都陸運提舉司，掌陸運糧斛之事。海王莊、七里莊、魏家莊、臘八莊四所，各設提舉一人，用從九品印。宣撫使，中統元年置司，二年罷。據元世祖紀。又有宣慰使，都稅使，都轉運使。詳表注。涿州路提舉司，達嚕噶齊一，提舉一，從五品；同提舉一，從六品；副提舉一，從七品；都目一。分管人户。至元十六年，給從七品印。按：元百官志，在京提舉司二，秩從五品。達嚕噶齊一員，從五品；同提舉一員，從六品；副提舉一員，從七品；都目一員。分管各處人户。至元十六年，給從七品印。大德四年，省併爲十一處，改提舉司，升從五品。涿州、保定、真定、冀甯、河南、大名、東平、東昌、濟南等路提舉司，凡九處。各設達嚕噶齊一員、提舉一員、同提舉一員、副提舉一員、都目一員。涿州提領所，提領、同提領、副提領、典史各一。涿州羅局提領一，大使一，掌織造紗羅段疋。據元百官志。涿州成錦局提舉司，秩從五品。至元二十一年置。異錦局，秩正五品。大德二年置。並達嚕噶齊、提舉、同提舉、副提舉各一。織染提舉司，秩從七品。達嚕噶齊、提舉各一，延祐五年置。按：元百官志，管領涿州成錦局人匠提舉司，秩五品；領匠一百有二；達嚕噶齊、提舉、同提舉、副提舉各一員。至元二十一年置。管領涿州等處民匠異錦局，秩正五品；掌民匠一百五十户；達嚕噶齊、提舉、同提舉、副提舉各一員。大德二年置。管領大都、涿州織染提舉司，秩從七品；掌領九十有六户；達嚕噶齊、提舉各一員。延祐五年置。通州皮貨所，提領一，大使一，副使一，用從九品印，延祐六年置。元百官志。管領大都、薊州等處打捕提舉司，秩從五品，達嚕噶齊、提舉、副提舉各一。至元二十二年置。同上。志又云：掌打捕户及民匠六百餘户。管領薊州等處、固安等處打捕鷹房納綿等户提領所提領、副提領各一。按：元百官志，管領諸路打捕鷹房納綿等户總管府，秩正三品。至元十二年，以真定所立總管府移置大都。十六年，合併所管之户，置都總管以治之。管領固安等處打捕鷹房納綿等户提領所，提領、副提領各一員。管領薊州等處打捕鷹房納綿等户提領所，提領、副提領各一員。

唐

崔漢 博陵人，建中四年，幽州宣慰使。（據全唐文六百十九）

房式 元和元年，劉濟、王士真、張茂昭，持短長式爲幽州等處宣慰使，還奏愜旨。（據新、舊唐書坿房綰傳，通鑑二百三十七）

温造 幽州劉總請以所部聽旨，穆宗賜造緋魚袋，充宣諭使，至范陽，總具櫜鞬郊迎，乃宣聖言，示禍福，總俯伏流汗，若兵加頸，使還，總入覲。（據舊書列傳）

裴度 長慶元年，幽鎮招撫

五代

劉知遠 晉天福八年，以北京留守爲幽州行營招討使。（據州府元龜一百十八）

曹繼筠 後周廣昭元年，幽州教練使。（據遼史拾遺）

遼

韓匡威 南京統軍使，魏國公，保甯三年，封鄴王。（據遼史列傳）

韓匡嗣 乾亨二年，南京留守改南面招討使，詳統部表。

耶律頗德 統和二年，南京統軍使。（據遼聖宗紀）

蕭巴雅爾 原作排押，字韓隱，統和四年，南京統運使。（據遼史列傳）按：畿輔唐志云蕭排押。

蕭達林 原作撻凜，字馳

宋金

吕頤浩 字元直，燕山路轉運使，奏開邊守，又危急五事。徽宗怒，褫職貶官，而領職如故，尋復。（據宋史列傳）

王政 辰州熊岳人，天會四年，燕京都麴院同監。（據金史列傳）

蕭高陸 天會十三年，燕京統軍使，伏誅。（據金太宗紀）

張浩 字浩然，遼陽渤海人，天眷二年，燕京路都轉運使。（據金史列傳）

梁肅 字孟容，奉聖州人，天眷二年，中都警巡使，勤恪清廉，大定二年，

元

趙柔 涞水人，太祖以爲涿州長官，遷真定涿等路兵馬都元帥。（據元史列傳）

張惠 字廷傑，成都新繁人，世祖授燕京宣廳副使。（據元史列傳）

瑪穆時 原作禡禡，中統元年三月，以瑪穆時、趙璧、董文炳爲燕京路宣慰使。（據元世祖紀）

趙璧 詳上。

董文炳 詳上。

賽音諤德齊 中統元年，與李德輝爲燕京路宣撫

使。（據玉海百三十二，元稹集加裴度幽鎮招撫使制）

甯，統和十五年後爲南京統軍使。（據遼史列傳）

蕭繅古，原作慥古，南京統軍使。（據遼史蕭達林傳）

仇正。燕京轉運使（據續通鑑）

蕭惠　字伯仁，開泰三年，南京統軍使。（據遼聖宗紀列傳）

蕭孚嘉努　原作韓家奴，字固甯，太平中，南院副使，清甯初，歷任南京統軍使。（據遼史列傳）

蕭德　字特們，卓特部人，清

遷中都轉運副使，改大興少尹。（據金史列傳）

張九思　同知中都轉運使事，詳府佐屬表。

毛子廉，本名巴克實，臨潢長泰人，天眷中，除燕京麴院都監。（據金史列傳）

牛德昌　字彥欽，蔚州定安人，皇統二年，進士，累官中都路都轉運使。（據金史列傳）

毛碩　字仲權，甘陵人，皇統四年，鄭州防禦使改通州。（據金史列傳）

劉鱗　燕京路都轉運使，天德元

使，徐世隆副之。（據元世祖紀）

李德輝，中統元年，燕京路宣撫使。詳先賢傳。

徐世隆　字威卿，陳州西華人，中統元年，燕京路宣撫副使。（據元史列傳）

郭汝梅，中統三年，燕京都稅使。詳先賢傳。

趙鑄　至元二十八年，任提領關防監使司事，詳傳。

達爾瑪實哩　原作達禮麻識理，字遵道，齊哩克台氏，至元十九年，刑部尚書，提調南

甯元年，南府宰相，轉南京統軍使，九年，復爲南府宰相。（據遼史列傳）

蕭頁嚕，原作迂魯，字和爾沁，五院部人，咸雍年，南京統軍都監。（據遼史列傳）

馬人望 判南京三司使事，時錢粟出納之弊，惟燕爲甚，人望以縑帛爲通歷，凡庫物出入，皆使別籍，名曰臨庫，姦人黠吏，莫得軒輊。（據遼史列傳）

耶律廊沙 原作郭三，壽昌四年六月爲南京統軍使。（據續通鑑）按：壽昌，遼史表、紀並云

年，參知政事。（據金海陵紀劉豫傳）

趙襲慶 海陵時，燕京轉運使。（據金史光英傳）

魏子平 字仲均，宏州人，同知中都轉運使事。（據金史列傳）

宋扆 中都右警巡使，歷薊州刺史，同知中都路轉運使事，詳先賢傳。

高衎 海陵時，同知中都都轉運使。（據金史列傳）

餘詳州縣佐屬表。

李偲 大定初，同知中都路都轉運使事。（據金史列傳）

左淵 大定元年，中都都轉運使。（據金世宗紀）

北兵馬司巡綽事，盜逼畿甸，能鎮之以靜。（據元史列傳）

烏魯斯 喀喇氏，武宗立，領大都屯田府事。（據元史列傳）

伊斯瑪音 南北兩城兵馬都指揮使。（據元史伊克台伊爾丹傳）

巴延特穆爾 天曆初轉運鹽使，肅政廉訪使，詳統部表。

蘇天爵 至正五年充京畿宣撫使，詳薊州判官表。

丁好禮 京畿漕運使，詳

壽隆，通鑑考異辨作隆之非。

劉仲洙，香河酒税使，詳先賢傳。

伊喇道世宗時，同知中都路轉運事，詳傳。

高德基字元履，遼陽渤海人，海陵欲都燕京，命德基攝燕京行臺省都事，改中都路都轉運副使，大定七年，改中都路都轉運使。（據金史列傳）

劉㑘大定七年，同知中都轉運使。（據金史高德基傳）

劉徽柔大定七年十月，遷中都轉運使，詳先賢傳。

張汝霖字仲澤，浩子，世宗

傳。

時，中都路都轉運使。（據金史坿張浩傳）

孟奎 字元秀，遼陽人，大定年，中都左警巡使，再調同知中都路都轉運使事，旱，詔審録中都路寃獄，多平反。（據金史列傳）

李革 大定年，中都左警巡使。（據金史列傳）餘詳大興縣表。

張亨 大定年，中都路都轉運使，詳先賢傳。

張巖叟 字孟弼，代州五臺人，大定年，中都路都轉運副使。（據金史坿張大節傳）

閻公貞 大定年，中都左警巡

使，以政績聞，詳先賢傳。

韓鐸　大定中都路都轉運使，詳先賢傳。

李宴　字致美，澤州人，世宗時，中都路推排使。（據金史列傳）

梁襄　字公贊，絳州人，大定年，中都路都轉運户籍判官。（據金史列傳）

承暉　大定十五年，中都左警巡使，詳傳。

孫德淵　字資深，興中州人，大定十六年進士，累遷中都左警巡使，歷治中同知。（據金史列傳）

張煒　字子明，洛州永年人，大定

二十五年，中都左警巡使。（據金史列傳）

完顏守貞 大定五年，中都左警巡使，詳府佐屬表。

趙曦瑞 大定二十六年七月，上聞同知中都路都轉運使事趙曦瑞，其在職應錢穀利害文字，多不題署，但思安身，降積石州刺史。（據金世宗紀）

趙暠 明昌元年，御史臺薦中都鹽鐵判官趙暠，剛正可用，詔除暠都水丞。（據金史孟鑄傳）

張庸 明昌元年，中都右警巡使。（據金史孟鑄傳）

孟鑄 明昌元年，刑部主事，累遷中都路按察副使。（據金史列傳）

盧亨嗣 字繼祖，明昌年，歷中都太倉使，中都户籍判官，尚醞署丞。（據金史坿盧柔倫傳）

完顏伯嘉 明昌二年，中都左警巡判官。詳傳。

瓜爾佳錫爾格 原作夾谷石里哥，上京路明安人，明昌五年進士，刑部主事，改薊州副提控。（據金史列傳）

赫舍哩呼實默 原作紇石烈胡失門，上京路明安人，明

昌五年，除中都路度支判官。（據金史列傳）

孫鐸　承安二年，設講議所官十員，以中都路都轉運使孫鐸等爲之。（據金章宗紀）

費摩亨，原作裴滿亨，字仲通，本名哈希明，潢府人，承安四年，中都路按察使。（據金史列傳）

高汝礪　承安四年十一月，進中都路都轉運使。（據金史傳）餘詳府佐屬表。

馬琪　章宗時，中都路都轉運使，詳先賢傳。

李愈　章宗授同知中都路都轉運使事，詳府佐屬表。

富察羅索　泰和年，中都右警巡副使，詳府佐屬表。

王謙　泰和年，中都轉運户籍判官。（據金史張煒傳）

穆延盡忠　本名搏多，原作象多，上京路明安人，泰和八年，遷中都按察使。（據金史列傳）

李滌　同知中都轉運事，詳府佐屬表。

郭俁　字伯有，潭州人，大安元年，改中都路都轉運使。（據金史列傳）

趙重福 字履祥，豐州人，大安三年，調兵食于古北口，行西北路六部郎中，治密雲路，貞祐二年，以守密雲功，遷同知河間府。（據金史列傳）

王晦 貞祐初，順州勸農使，詳傳。

任天寵 字清叔，曹州定陶人，貞祐初，中都路都轉運使，時京師戒嚴，糧運艱阻，天寵營辦盡瘁，出家貲濟飢者，全活甚衆。（據金史列傳）

侯摯 初名師尹，避諱改今名，字萃卿，東阿人，貞祐初，大兵圍燕都，時

摯爲中都麴使，請出募軍，已而嬰城有功，擢右補闕。（據金史列傳）

邊源 貞祐二年，同知中都都轉運使。（據金史列傳）

張甫 賜姓完顏氏，興定元年，除中都路經署使，進經署副使，二年，苗道潤死，河北行省侯摯承制，以李奇魯權道潤中都路經署使，四年，甫與張柔爲副，未幾，甫爲中都東路經署使，四年，甫封高陽公，以雄、莫、霸州、高陽、信安、文安、大城、保定、静海、寶坻、武清、安次縣隸焉。（據金史列傳）

李奇嚕 興定二年，權中都路經略使，爲中都東經略使，雄、霸以東隸之。（據金史張甫傳）

舒穆嚕拜達勒 仕金爲霸州平曲水寨管民官，詳僑寓傳。

馬伯禄 由武清主簿遷同知北京路轉運使，委録刑無冤，轉河中知府，謚貞忠，詳先賢傳。

王寂 字元老，薊州玉田人，進士，中都路都轉運使，文學政事非前後居是官者所及，中都人多稱道之，謚文肅。（據畿輔唐志七十一）

明督撫部院分司表六

明總督、巡撫諸官，大率爲軍與餉增置之分司，或司河，或司糧，皆部使之開署者。作督撫部院分司表。

明總督薊遼兼理糧餉一員，嘉靖二十九年改自提督，治密雲，轄巡撫三。萬曆九年兼巡撫，十一年復舊。明職官志：總督薊遼、保定等軍務兼理糧餉一員，嘉靖二十九年置。開府密雲，轄順天、保定、遼東三巡撫。萬曆九年加兼巡撫等處。十一年復舊。畿輔唐志：薊遼總督，明初薊遼間遣重臣巡視，或稱提督。嘉靖二十九年，始置總督薊遼等處御史，駐密雲。明史范志完附趙光忭傳：崇禎命總督薊遼、昌通等處軍務，節制登津撫鎮，遼事急，則移駐中後、前屯，關內急，則星馳入援，三協有警，則會同薊、昌二督并力策應，時關內外並建二督，而關外加督師銜，地望尤尊。又於昌平、保定設二督，於是千里之內有四督臣。密雲薛志：萬曆三十一年，從總督楊博議，密雲咫尺陵寢、京師，去石塘嶺、古北口、牆子路，各不滿百里，總督軍門決該駐劄密雲。兵部議准。著爲例。又有經略，見明史熹宗紀。巡撫一，撫順天，初無專設，成化二年，專設都御史，贊理軍務，順天、永平，崇禎二年分置永平巡撫，其舊者專轄順天。明梁璟傳：畿輔八府，舊止設巡撫一人，駐薊州，以禦邊，不能兼顧，璟請順天、永平二府分設一巡撫，以薊州邊務屬之，令巡撫陳濂專撫保定六府，兼督紫荆諸關。朝議從之，遂爲定制。明職官志：巡撫順天等府地方，兼整薊州等處邊備一員，成化二年，始專設都御史贊理軍務，巡撫順天、永平二府。八年，以畿輔地廣，從居庸關中分，設二巡撫，其東爲巡撫順天、永平二府，駐遵化。崇禎二年，於永平分設巡撫，兼提督山海軍務，其舊者止轄順天。畿輔唐志：永樂十九年四月癸丑，命侍郎郭敦、給事中陶衎往順天等府州，巡撫軍民，事竣即罷。正統十四年九月，命都御史鄒來學巡撫永平等處，未有專設。成化二年，始遣都御史贊理軍務，巡撫順、永二府。二十年徙居庸關，中分爲二巡撫，其東爲督飭薊州等處邊備巡撫順、永二府，居庸等關隘隸之，駐遵化。萬曆九年罷。十二年復設。一巡撫通州都御史，嘉靖二十九年置，旋罷，天啟元年復，後裁。畿輔唐志。按：通州志祇云設自天啟，非。崇禎二年復，尋廢。按：明巡撫皆都御史，畿輔唐志以崇禎時，范景文等接巡撫王國禎下是也，詳下。一巡撫密雲都御史，崇禎十一年置。明職官志：巡撫密雲地方贊理軍務一，崇禎十一年設。明史范志完附趙光忭傳：崇禎千里之內，有甯遠、永平、順天、密雲、天津、保定六巡撫。趙光忭傳：崇禎十年，遣閱薊遼戎務，明年冬，總督吳阿衡敗沒，廷議增設巡撫一人，駐密雲。餘詳下。一巡撫昌平都御史，崇禎十六年由督治改，詳下。先是，嘉靖二十九年置都御史，未三載省，至是復焉。據昌平吳志。又督治通州兵部侍郎一，萬曆四十八年置，崇禎十六年廢。督治昌平兵部侍郎一，崇禎十六年改巡撫。綏寇紀畧補遺：京東置督二，曰關甯，曰薊門。置撫四，曰遼，曰山永，曰順天，曰密雲。京西南保定置一督、一撫。通州、昌平置兩督治侍郎。天津置一撫。此三督，二督治六巡撫者，皆治兵以擁護京師。十六年五月十七日下詔，方今之患在兵多，乃命薊遼合爲一督，薊密合爲一撫，通保二督皆裁，昌平改督爲撫。當是時，督治則王鼇永在通州，金之俊在昌平，趙維岳撫順天，王繼謨撫密雲。上以維岳非邊吏才，其順撫用繼謨攝之，召維岳、鼇永爲户、兵侍郎，之俊改巡撫視事。通州高志：明添設欽差，專駐於通者，如萬曆四十八年添設兵部侍郎一員，兵部右侍郎徐光敏、董應舉，先後任事，尋裁。崇禎二年，添設都察院一員，都御史范景文、仇維楨、王鼇永，先後任事，尋裁。通州管河郎中一，嘉靖七年添置，十五年移治楊邨等處。大通牐主事一，嘉靖七年，移治通州，專理河道。明世宗實録：嘉靖七年六月乙巳，御史吳仲、郎中何棟、尹嗣忠、都指揮陳璠奉敕，開濬通惠河，仲等因疏五事：一、專委任，言大通牐河止設主事一員，又兼他務，不無妨廢，請令駐劄通州，專理河道，凡應行事宜，委用官員，悉聽管牐主事處分，仍敕户部，歲三月初旬，遣郎中或員外一，奉敕往通州，會巡倉御史，沿河往來催儹天津以北糧運、驗算、賫銀，待運完日，造册奉繳。上從其言。嘉靖十五年九月壬午，户部等會議，漕運事宜，一、議管理通州郎中移劄楊邨等處地方，春秋杪遇有淤淺，酌量工力疏濬，候運船到灣，仍詣通惠河提調。詔如議行。户部分司，昌平、密雲、薊州各一。萬曆沈志：昌平、薊州，管糧户部分司駐劄。昌平吳志：弘治十二年，設户部每歲主事或員外一人，監司倉廠。正德十一年，部使開署昌平。嘉靖三十八年，改通判。四十四年復舊。密雲薛志：户部分司，洪武十一年置。薊州張志：户部分司，司漕儲。

官	人
薊遼總督 經略亦錄。按：總督改自提督，同爲巡視重臣，非今提督比，故合表之。	孫檜 字以誠，錦衣衛人，進士，兵部左侍郎，都察院右僉都御史，嘉靖二十九年，提督薊州軍務。 何棟 字伯直，
順天巡撫都御史	郭敦 字仲厚，山東堂邑人，永樂十六年任。（據明史列傳） 陶衎 十六年任。（據明史郭敦傳） 魏驥 浙江蕭山
督治通州兵部侍郎 通州巡撫都御史	徐光啟 萬曆四十八年，兵部侍郎，治通州。 董應舉 兵部侍郎，治通州，尋裁。
密雲巡撫都御史	趙光忭 崇禎十二年，詳傳。 王繼謨 崇禎年任，給事中方士亮論繼謨不勝任。（據明史姜埰傳）餘詳薊遼總
督治昌平兵部侍郎 昌平巡撫都御史	范景文 吳橋人，以河南巡撫加兵部侍郎銜，統領三千兵，出鎮昌平，軍民不擾，境賴以安，祀名宦。督治，下七人同。
昌平户部分司 按：通州管河郎中，大通牐主事，通州志未載其人，末由箸錄。	宋毓 山東德州人，進士，弘治十二年任。 張綸 直隸平谷人，進士，十三年任。 李夢陽
密雲户部分司	胡汝勵 邊億 山東邱人。 黄閎古 莊澤 何士麟
薊州户部分司	閻本 陝西汾人，進士。 楊禮和 四川江津人，進士。 施紳 進士。 南釗 陝西渭南

陝西長安人，進士，嘉靖二十九年，提督薊州軍務，改爲總督。（已上二人據密雲薛志）

楊博。詳傳

王忬。詳傳

許論 三十六年任，詳傳。

楊選。詳傳

劉燾 嘉靖年任，議墾邊地著效，四十二年，疏請舉行。隆慶元年，郝杰劾燾與巡撫

人。（據萬曆沈志）

鄒來學 正統十四年任，詳傳。

李賓 順義人，進士，景泰年任。

楊繼宗 字承芳，陽城人，天順元年任。（據畿輔唐志）

閻本 成化元年任，詳傳。

楊璿 南直無錫人，進士。

王國楨 山西人，進士，天啟年巡撫。下三人官同。

范景文 吳橋人，進士。

仇維楨 山東人，進士。

王鼇永 山東人，進士。（已上據畿輔唐志、通州高志）

督等表。

侯恂 河南歸德人。

張元佐 崇禎年兵部右侍郎任。（據明史張元瑋傳）

李日宣 字晦伯，吉水人，萬曆四十一年進士，崇禎九年，兵部右侍郎任。（據明史列傳）

金之俊 江南人。

劉餘祐

扶溝人，進士，十四年任。

王玹 廣東海豐人，進士，十五年任。

方璘 福建莆田人，進士，十六年任。

胡濂 山東定陶人，進士，十七年任。

劉思賢 石首人，進士，十八年任。

張諾 山東濱州人，進士，十八年任。

孫沔

楊士魁

王俸

秦偉

李暢

李獻可

王濟

周崇義

陳桓

韓璒

李淮

鄭克和 福建人，成化十年任。

人，進士。

呂潤 山東德平人，進士。

李寬 陝西蘭州人，進士。

馮緒 山東昌邑人，進士。

方守 福建莆田人，進士。

宮廉 山東平度人，進士。

王楫 南直虹人，操守嚴，挽運無愆，

耿隨卿觀望，寇退，斷死者首報功，又奪遼東將士棒捶匡戰績。敕壽、隨卿還籍聽勘。（據明史郝杰傳）餘詳薊州道表。　曹邦輔 字以忠，山東定陶人，進士，隆慶元年任。（據密雲薛志）　譚綸 元年任，詳傳。　劉應節
張綱 山東長清人，進士。　汪霖 南直六安人，進士。　李田 湖廣嘉魚人，進士。　彭韶 字鳳儀，福建莆田人，進士，二十年任，去大興、宛平、昌平徭役。（據明史列傳）　楊繼宗
山東人。　張承基 陝西人。　朱國棟 崇禎年，右僉都御史督治。（據明史田時震傳）　許宗魯 都御史，陝西咸甯人，進士，嘉靖三十年任。　都御史，下二人同。　周琉 應城人，進士，三十一年任。　何謙 江南人，
張文錦 錦州人，進士，十八年任。　殷敏 江南金壇人，進士，正德年任。　楊欽 江南合肥人，進士，元年任。　毛思義 陽信人，進士，元年任。　孫修 邯鄲人，進士，三年任。　劉安 山西大同
郁深　費繼之　劉華然 遵化人。　賈惟春 福建人。　鄭漳 福建人。　李蘭　李禄 山東人。　於敖 詳司道表。　尹嗣忠 北直正定人。
祀名宦。（據薊州張志）　劉定昌 四川綦江人，進士。　王鉞 陝西同州人，進士。　王勤 四川遂甯人，進士，弘治年任，絶賄足軍需，有奇才目，祀名宦。（據薊州張志）　何文縉 廣東南海人，進士。

遷自順天巡撫，詳傳。

梁夢龍 字乾吉，真定人，進士，萬曆五年任，官至兵部尚書。（據明史列傳）

吳兑。詳傳

周詠 字司養，延津人，進士，九年任。（據密雲薛志）

張嘉胤 字尚甫，四川銅梁人，十年任。（據畿輔唐

成化中，復以右僉都御史任，餘詳前。（據畿輔唐志）

徐懷 弘治初任。詳傳。

秦民悦 南直舒城人，進士。

唐珣 華亭人，進士。

魏富 龍溪人，進士，宏治中任。（據畿輔唐志）

屠勳 浙江平湖

進士，崇禎十六年，裁革督治，改此。

人，進士，四年任。

董琦 山東陽信人，進士，四年任。

楊鏓 錦衣衛籍，進士，五年任。

胡濂 五年復任。

宋卿 福建莆田人，進士，五年任。

林紹 廣東潮陽人，進士，六年任。

侯綸 山西太原人，進士，六年任。

吳檄 南直桐城人。

倪組 福建人。

毛秉鐸 福建人。

朱旒 河南信陽人。

李涵 遷安人。

劉汝松 山東人。

劉欽順 湖廣人。

鄭觀 河南人，

張鸞 山東安邱人，進士。

李傑 陝西韓城人，進士。

趙鶴 南直江都人，進士。

劉乾 靖江人，進士，正德間任。

莊澤。詳傳

劉悦 江夏人，進士，正德間任。

葉天爵 南直婺源人，進士。

志）按：密雲薛志作佳。 王一鶚 十一年任，詳巡撫表。 張國彥 詳府表。 蹇達 遷自順天巡撫，十三年任，三十年再任，三十五年立題名碑。（據明史傳鍾羽，參密雲薛志） 邢玠 詳傳。 郝杰 字彥輔，
人，進士。 張淮 河南襄城人，進士。 洪鍾 十一年任，詳傳。 周季麟 甯川人，進士。 陳壁 山西太原人，進士。 柳應震 湖廣巴陵人，進士。三人弘治年任。（已上據畿輔唐志）
劉佐 陝西中部人，進士，七年任。 區越 廣東新會人，進士，七年任。 李緋 河南固始人，進士，八年任。 丁致祥 武進人，進士，八年任。 師臯 陝西長安人，進士，九年任。 于沂 十年任。 陸傑 江南吳縣
進士。 莊任春 福建人。 劉儒 河南汝陽人。 劉鑕 遼東人。 劉素 保定人。 林性之 福建人。 劉輔 雲南人。 侯珮 山東人。 牛恆 陝西人。 劉訓 河南人。
萬斛 四川重慶人，進士。 于範 山東鄆城人，進士。 陳維藩 山西吉州人，進士。 李緋 河南固始人，進士，正德間任。 姚鳳 南直懷遠人，進士。 顧天祐 南直武進人，進士。 李蘭 陝西華州

山西蔚州人，進士，萬曆二十年兵部侍郎任。（據明史列傳，參密雲薛志）

李如松　二十年任。（據明神宗紀）

孫鑛　萬曆年任。（據明史戴士衡傳）

顧養謙　字鎮仰，通州人，二十年任。

邢玠　字文融，

閔珪　字朝瑛，浙江烏程人，弘治中右副都御史任，正德年少保，謚莊懿。（據明史列傳）

劉聰　陝西中都人，進士，附劉瑾，言官交劾。（據明史焦芳傳，畿輔唐志）

李貢　南直蕪湖人，進士。

王倬　南直太倉人，進士。

人，舉人，十一年任。

葉天球　婺源人，進士，十二年任。

方楷　江南宿松人，進士，十三年任。

胡大全　歙縣人，進士，十四年任。

王一麟　青神人，進士，十五年任。

林應驄

周至德　山東人。

郭學書　河南人。

張習　南京人。

邱瓚　京衛人。

李臨陽　雲南人。

任惟鈞　四川人。

王霽　湖廣人。

馬爲　山西人。

胡致和

人，進士。

王廷梅　湖南黃岡人，進士。

康河　陝西武功人，進士。

丁守中　陝西慶陽人，舉人。

袁淮　北直任邱人，進士。

李易　江西永興人，進士。

賈士元　陝西鳳翔人，進士。

浙江餘姚人，進士，二十二年任。按：此與上益都人同名。

萬世德 字伯修。（已上三人據密雲薛志）

薛三才 詳傳。

汪可受 湖廣黃梅人，進士，四十五年任。（據畿輔唐志）

文球 河南固始

李瓚 山東濮州人，進士。

臧鳳 山東曲阜人，進士。

張潤 山西臨汾人，進士。

劉達 山東濱州人，進士。

季昆 山東高密人，進士。

孟春 澤州人，進士。八人正德年任。（據畿輔唐志）

莆田人，進士，十五年任。

林春澤 侯官人，進士，十六年任。

何岩 河南扶溝人，進士，十六年任。

郭日休 莆田人，進士，嘉靖元年任。

牟泰 四川巴縣人，進士，三年任。

徐嵩 江南泰州

山東人。

劉魯生 山東人。

馬濂 南京人。

劉廓 山東人。

楊君璽 京衛人。

閻光潛 嘉靖三十七年，由昌平分司任。

丁希孔 山東人。

邊沅 任邱人，進士。

李允升 涿州人，進士。

王繼芳 固安人，進士。

歐紹説 廣西桂陽人，舉人。

張松 河南洛陽人，進士。

段錬 固安人，進士。

董策 湖廣長沙

人，進士，四十七年任。（據密雲薛志）按：明史張銓傳云：球天啓元年總督，當是歷任年，非之任年。

王象乾　天啓元年任。（據明史張鳴鶴傳）

王在晉　二年，兵部尚書經略薊遼軍務。（據明熹宗紀）

吳用先

周期雍　正德九年任，詳傳。按：畿輔唐志列之劉澤、張仲賢、王玉下，並入嘉靖中。考張仲賢于嘉靖二年任府丞，則巡撫之爲嘉靖年無疑，而期雍年分又有明史可據，故移前。

劉澤　山東濟甯人，進士，嘉靖年任，下同。

張仲賢

人，進士，三年任。

陸載　河南孟津人，舉人，三年任。

陳儒　錦衣衛籍，進士，四年任。

陳騰鸞　莆田人，進士，四年任。

華金　江南無錫人，進士，五年任。

紀純　河南磁州人，進士，六年任。

李應元　河南人。

楊進通　曲周人。

廖逢節　河南人。

張大業　山東人。

李長賡　萬曆五年任

梁綱　山西人。

任汝亮　山西人。

人，進士。

朱守志　河南延津人，進士。

高光　四川峩眉人，進士。

曹麟　黃梅人，進士。

王彙征　陝西右護衛人，舉人。

羅延紳　陝西淳化人，進士。

劉勃　任邱人，進士。

字體中，南直桐城人，進士，四年任。（據密雲薛志） 高第，五年，兵部尚書經略遼薊軍務。（據明熹宗紀） 王之臣 字藎伯，山西潼關衛人，進士，五年任。（據畿輔唐志） 劉詔，七年遷，自順天巡撫，建魏忠賢生祠于景忠山。（據
遷自府丞。 王玉 浙江鄞人，進士。（據畿輔唐志） 馬永 字天賜，遷安人。（據明史列傳） 王大用 南直儀徵人，進士。 毛伯温 吉水人，進士。 戴時宗 福建長泰人，進士。
馮承芳 桂林人，進士，六年任。 鄒守愚 莆田人，進士，七年任。 楊鋭 順天房山人，進士，八年任。 李珻 直隸東安人，進士，九年任。 何俊 廣東南海人，進士，十年任。 賈璘 山東陽信
王以纁 文安人。 侯國治 廣東人。 申嘉瑞 河南人。 王三錫 四川人。 戴耀 福建人。 邱應和 萬曆三十二年任。 段承先 雲南人，進士。
雷上襦 湖廣嘉魚人，進士。 張諧 南直淮安人，進士。 李遷梧 山東安邱人，進士。 崔鏞 陝西綏德衛人，進士。 王汝梅 安肅人，進士。 蘇松 四川廣安人，進士。 李承選

明史閹鳴泰傳、張鳳翼傳、畿輔唐志）

張鳳翼 字九苞，山西代人，萬曆四十一年，進士。七年，劉詔罷代之，崇禎三年再任。（據明史列傳、密雲薛志）

喻安性 字義初，浙江嵊人，進士，崇禎元年任。（據密雲薛志）

梁建棟

于湛 南直金壇人，進士。（四人據畿輔唐志）

張嵩 遷自府丞。

張景華 山東鄒城人，進士。

王楨 遷自府丞。

黨以平 均州人，進士，十七年都御史任。（據綱目三編二十二注）

人，進士，十一年任。

張德政 平陰人，進士，十一年任。

張環 陝西護衛人，進士，十二年任。

賈士元 鳳翔人，進士，十三年任。

劉璽 山東濟州人，進士，十三年任。

詹文光 江夏人，進士，十五年

梁祖齡 四川温江人。

周再勳 山西人，舉人。

陳騰蛟

吴暐 萬曆四十五年任。

王維章

來復 四川閬中人。（已上據密雲薛志）

河南延津人，進士。

魏任 河南葉人，進士。

鮑文縉 山東臨清人，舉人。

高世雨 浙江武康人，進士。

古之賢 四川梁山人，進士。

甘來學 四川雅州人，進士。

王録 山東壽張人，進士。

崇禎二年，兵部右侍郎任。（據明史列傳，餘詳順天巡撫表） 劉策 由保定知縣累遷，三年任，被劾。（據明史列傳） 曹文衡 四年任。（據明史高倬傳） 閻鳴泰 五年遷自順天巡撫。 傅宗龍 六年遷自順天巡撫。
戴金 湖廣漢陽人，進士。 張漢 湖廣鍾祥人，進士。 徐錦 浙江慈谿人，進士。 徐嵩 南直泰州人，進士。 侯綸 山西太原人，進士。（五人據畿輔唐志） 許論 詳傳。 朱方 二十三年
任。 王堂 山東莘縣人，進士，十六年任。 孫進 廣東順德人，進士，十七年任。 林延琛 侯官人，進士，十八年任。 胡汝翼 綿州人，進士，十九年任。 鍾恕 河南汝陽人，舉人，二十年任。
沈存仁 南直高淳人，進士。 吳中傳 山東朝城人，進士。 劉際可 南直丹徒人，進士。 陳履 廣東東莞人，進士。 董國光 山東滕人，進士。 郭濬 山東汶上人，廩生。 胡三省

丁魁楚 字光三，河南永城人，進士，七年，代傳宗龍，九年七月，畿輔被兵，坐下吏。（據明史丁隆睿傳、畿輔唐志）

張福臻 字澹如，山東高密人，進士，九年任。（據畿輔唐志）

吴阿衡 十一年遷自順天巡撫，敗死。

任，坿郭宗皋傳。

郭宗皋 詳傳。

孫應奎 字文宿，洛陽人，嘉靖年右副都御史任，召理院事。（據明史列傳）

王汝孝 山東東平人，進士，順天巡撫，駐薊州，誤聽諜者謂寇向西北，寇至古北口，汝孝潰。

陳魁 四川後衛人，進士，二十年任。

陳紹儒 南海人，進士，二十一年任。

張松 洛陽人，進士，二十年任。

劉志 翼城人，進士，二十二年任。

尋志道 金鄉人，進士，二十三年任。

蔣宗魯

沙河人，進士。

胥從化 四川巴人，進士。

王一范 福建長泰人，進士。

李之芬 河南西平人，進士。

柯維蓁 湖廣襄陽人，進士。

王于陛 陝西朝邑人，進士。

王國賓 山東茌平人，進士。

劉曰俊

王繼謨　十二年任，餘詳明薊州兵備道表。（已上二人據密雲薛志）

洪承疇　十二年任。（據明史傳宗龍傳）

范志完　十二年遷自順天巡撫，後總督薊、永、山海、天津、通州諸鎮。（據明史趙光抃傳）

（據明史丁汝夔傳，參畿輔唐志）

吳嘉會　振武人，進士。

馬九德　山東德州人，進士。（二人據畿輔唐志）

聶豹　字文蔚，吉安永豐人，二十九年，右僉都御史，未任，擢兵部右侍郎（據明史列傳）

張祉　河南固始

普安人，進士，二十四年任。

唐時　雄縣人，進士，二十五年任。

于錦　濟南人，進士，二十六年任。

藺子克　汝陽人，進士，二十七年任。

汪垍　江南休甯人，進士，二十八年任。

李明學

楊文蒞　順天人，進士。

李乃蘭　招遠人，進士。

王復興　山東鄆城人，進士。

霍允猷　詳傳。

王淑汴

王可觀　河南信陽人，進士。

陳調鼎　南直高淳人，進士。

王永吉　十六年任。（據明史吳麟徵傳）

人，進士。

馬珮　山東德州人，進士。

王輪　山西蒲州人，進士。

張玭　山西石州人，進士。

徐坤　南直建德人，進士。（五人據畿輔唐志）

徐紳　由嚴嵩進。（據明史邱楙傳）

温景葵

臨淮人，進士，二十九年任。

周世遠　江津人，進士，二十九年任。

張邦彥　山東臨朐人，進士，三十年任。

李景萃　任縣人，進士，三十一年任。

紀璿　順天薊州人，進士，三十三年

吕一奏　山東諸城人，進士。

康萬民　順天人，進士。

王泰交　山東人，會副。

吕聲凱　北直人，恩貢。（已上據薊州張志）

馬嗣休　户部主事管薊鎮糧儲，崇禎十五年殉節，乾隆四十一年追謚節愍。

山西大同人，舉人，嘉靖年任。（據畿輔唐志）按：畿輔唐志多奪朝次，如耿隨卿、劉應節、季頤諸人，皆有史傳可據。

耿隨卿 隆慶元年任，坿劉應節傳，並詳總督劉燾表。

劉應節 元年任，四年遷總督薊遼，詳傳。

楊兆 四年任，

任。

劉崇文 高平人，進士，三十三年任。

邱緯 益都人，進士，三十四年任。

冀鍊 武進人，進士，三十五年任。

閻光潛 山東東平人，進士，三十七年任。

崔鏞 陝西榆林人，進士，四十四年

（據綱目三編三十八注）

五年遷總督薊遼，詳傳。

王一鶚 字于萬，曲周人，進士，後遷總督薊遼。

陳道基 進士。

張夢鯉 山東萊陽人，進士。

翼繡裳 累遷自密雲道。已上四人，隆慶年任，畿輔唐志誤。

任。

丁懋儒 山東聊城人，進士，隆慶元年任。

張克家 直隸宣城人，進士，四年任。

王好學 直隸樂亭人，舉人，四年任。

孫倌 陝西安化人，舉人，萬曆元年任。

張國彥 萬曆年遷自府尹，詳府表。 蹇達 字汝鎮，四川人，進士，遷總督薊遼。 王致祥 忻州人，隆慶五年進士。（據明史盧洪春坿傳） 成遜 長垣人，進士。 李頤 萬曆年任，詳傳。
賈實 祥符人，舉人，三年任。 許倜 靈寶人，進士，四年任。 王汝謙 山西人，進士，七年任。 陳于階 曲周人，進士，十年任。 謝文炳 福建人，進士。 喬起鳳

劉四科 陝西涇陽人，進士。
王邦俊 陝西鄜人，進士。
吴崇禮 山東甯陽人，進士。
劉曰梧 南昌人。（據畿輔唐志）
喻安性 累遷自密雲道。
李瑾 山西襄陵人，進士。

山西人，舉人，十六年任。
姜仲軾 山東人，進士，十九年任。
袁應祺 興化人，進士，二十年任。
王紹先 陝西人，進士，二十二年任。
張邦政 滿城人，進士，二十四

岳和聲　浙江嘉興人，進士，天啓年任。

鄧漢　字遠游，江西新城人，戊戌進士，巡撫順天右僉都御史。（據天禄琳瑯書目、王氏農書，萬曆四十五年重刊本）按：畿輔唐志，鄧渼疑即漢之譌。

申用懋　五年任，詳傳。

吴中偉

年任。

趙光遠　山東人，進士，二十七年任。

鄭沛　福建人，進士，三十年任。

李熣　福建人，進士，三十二年任。

余自强　四川人，進士，三十五年任。

馬勞謙　山西人，進士，三十七

（據明史閻鳴泰傳）

閻鳴泰 字協吉，清苑人，萬曆中進士，潛結魏忠賢，六年，顧秉謙等以吴中偉非禦侮才，薦鳴泰代之，未幾，代王之臣總督薊遼。（據明史列傳）

劉詔 字漢若，河南杞人，進士，天啟年任，遷總督薊遼。

單明詡

年任。

王典 博野人，進士，三十八年任。

胡大年 陝西人，副榜，三十九年任。

周士昌 四川人，進士，四十年任。

華敦復 江南無錫人，進士，四十三年任。

曹師建

山東高密人，進士，二年任。（據明史田時震傳）按：畿輔唐志云天啓年，非也。

王應豸 掖縣人，天啓中任。（據明史趙率教傳）按：王應豸論死在崇禎二年，其巡撫因魏忠賢而得，畿輔唐志列之天啓，是也。

王元雅 山西太原人，進士。

宜興人，官生，四十四年任。

唐玉 福建莆田人，進士，四十四年任。

方承笏 莆田人，進士，四十四年任。

徐騰芳 進士，四十八年任。

邢從言 山東人，天啓元年任。

蕭思似

梁廷棟 河南鄢陵人，萬曆四十七年進士，後總督薊遼。（據明史列傳）

方六任 南直桐城人，進士。（據明史邱民仰傳、畿輔唐志）

許如蘭 南直合肥人，進士。

李瓚 崇禎中以副都御史任。按：畿輔唐志載入名宦，而職官

涇縣人，舉人，二年任。

王有翼 四川人，舉人，四年任。

李之茂 山東人，進士，七年任。

宋開春 山東人，官生，崇禎二年任。

劉宇揚 四川人，舉人，五年

奪。

劉可訓　澧州人，萬曆中鄉舉，三年任，梁廷棟囑私人沈敏於可訓，敏爲奸，可訓落職。（據明史朱燮元坿傳）

傅宗龍　字仲綸，昆明人，三年任，遷總督薊遼。（據明史列傳）

張鵬雲　字雨蒼，山西陽城人，

任。

王一桂　湖廣人，舉人，八年任。

鄭儀鳳　湖廣人，官生，九年任。

黃錕　山東人，舉人，十年任。

程之璿　山西人，官生，十二年任。

姬琨　山東人，

進士，由太常少卿任。

吴阿衡

字隆微，裕州人，崇禎初任，遷薊遼總督。（據畿輔唐志）

陳祖苞

浙江海甯人，進士，十年任，明年坐失事繫獄，飲酖卒。（據明史顧繼祖坿傳）

楊繩武

雲南彌勒人，進士，十

貢生，十四年任。

石方昱

薊州人，舉人，十六年任。（以上據昌平吴志）

一年任。（據明史趙光忭傳）

范志完

虞城人，崇禎四年，進士，十一年，代楊繩武巡撫順天，明年總督薊遼。（據明史趙光忭坿傳）

王永清

永甯人，進士。

潘永圖

遷自昌平道。

趙維岳

四川人，進士。

王繼謨 由密雲巡撫遷，未任，遷薊遼總督，詳薊州兵備道表。

楊鶚 湖廣武陵人，四年進士、御史任，福王以爲兵部尚書。（據明史柎楊鶴傳）

宋權 河南商邱人，進士。（據畿輔唐志）

明司道同知通判表七

永樂前，北平按察使入統部，按察使姓氏猶有存者，布政司參政、參議，分守道也。按察使副使、僉事，分巡道也。北京建後巡備今竟者凡五，同知一，通判五。作明司道同知通判表。

北京之不置按察使，自永樂始。先是，北平置按察使一。明職官志：提刑按察使一，正三品。守道有布政使參政、參議，巡道有按察使副使、僉事。明職官志：左、右參政，從三品，左、右參議，從四品，按察使副使，正四品，僉事，正五品。又云：初制，恐守令不法，於直隸府州縣設巡按御史，各布政司所屬設僉事。已罷試僉事，改按察分司四十一道，此分巡之始也。分守起於永樂間，每令方面巡視民瘼。遂定右參政、右參議分守各屬府州縣。兵備道之設，仿自洪熙間，以武臣疏文墨，參政副使整理文書，弘治中，增副僉事一員。永樂而後，北直隸之道寄銜近省，寄山東者爲密雲道、霸州道，寄山西者爲昌平道、薊州道，據明職官志，續文獻通考。並曰兵備道。畿輔唐志：明制，直隸監司俱曰兵備道。昌平道，置自嘉靖三年。據畿輔唐志。顧亭林昌平山水記：此官設嘉靖時，帶僉事銜，整飭兵備，兼管通州，分防大水峪，後罷。按：懷柔吴志所載兵備道，即此。薊州道，弘治九年置，治薊州，十一年徙治密雲，嘉隆間復置道於薊州。據畿輔唐志，密雲周志，薊州張志。霸州道，置於正德六年，爲按察僉事，尋省。霸州周志：正德辛未，劉寇起畿輔間，設山東按察僉事一員，整飭霸屬兵備，寇平，裁。辛巳設副使一員。此二道分合之梗概。十六年復置副使。又通州兵備道，天啟元年置，明周起元傳：天啟元年，遼陽破，廷議通州重地，宜設監司，乃命起元以參政涖之。通州高志：明制，通州隸密雲道，天啟元年，添置監軍僉事，轄通州，四年裁，崇禎二年復。四年廢，崇禎二年復。按：畿輔唐志云，通州道天啟二年設，與明史異。按：建文初，有北平採訪使暴昭，見明史，坿著於此。通州管河同知，嘉靖七年置，萬曆三十三年改兼土壩，專督通糧事務。明世宗實録：嘉靖七年六月乙巳，御史吴仲、郎中何棟、尹嗣忠、都指揮陳璠，開濬通河，疏設同知或判官一員，所管起大通橋，盡鮮魚牐，上從其言。明神宗實録：萬曆三十三年四月丁未，以順天府通州管河同知改兼土壩，專督通糧事務。通州管糧通判，萬曆三十三年改兼石壩，專督京糧、白糧。明神宗實録：萬曆三十三年四月丁未，以管糧通判官改兼石壩，專督京糧、白糧事務。又昌平管糧通判，嘉靖三十八年改自户部分司，四十四年復舊。據昌平吴志。詳分司注。又武清通判二，一治河西務，管河兼捕盜理訟，成化間置，旋省，正德十二年復；明武宗實録：正德十二年戊寅，巡按直隸御史吴闓言，通州至天津河道，夫役巡逃竄，盜賊竊發，奸弊多端，蓋由其地軍民雜處，官無專職所致，乞照成化年例，添設順天府通判，即河西務爲治所，治河道夫役，兼捕盜理訟以安畿甸。從之。一治楊邨。萬曆十五年置管河。行水金鑑百二十六：萬曆十五年，創設管河通判，專駐楊邨。又密雲通判，置自嘉靖二十有九年。據密雲薛志。

北平按察使
北平布政使參政參議按察
通州兵備道
昌平兵備道
密雲兵備道 按：密雲丁志，范輅前二十二人當入薊州
霸州兵備道
薊州兵備道 按：密雲丁志所載，姜永已下二十二人，
通州管河同知
通州管糧通判 昌平管糧通判
武清河西務通判 楊邨管河
密雲通判

	陳瑛，洪武末，北平按察使，建文四年，召爲左副都御史。（據明成祖紀，餘見湯宗傳）
使副使僉事	劉崧，洪武三年，北平按察使副使，詳傳。副使，下二人同。朱守仁，字元夫，徐州
	周啟元，字仲先，海澄人，天啓元年任。（據明史列傳）魏雲中
	馬珮，德州人，進士。楊印賢，壽張人。栗永祿
道表，此外得三十有三人，而畿輔唐志云無考，誤。	范輅，字以載，桂陽人，嘉靖間任。（據明史列傳）張守中，遷自通州知
	許承芳，山西陽曲人，進士，正德六年任。馬應龍，陝西河州人，
當依畿輔唐志、張志，薊州列之薊州道表。	姜永，弘治年任。按：密雲丁志首此，然此下張璉既入薊州道，則姜永不得獨屬之彼。張璉
通判	
	田甸，山東人。汪湘，南直婺源人。陳其愚，山東人。劉岸

人，四年，北平行省參政，餽餉不繼，謫蒼梧知縣，拜太僕寺卿。（據明史單安仁坿傳）

呂本 六年，北平按察使僉事。（據明史）

鄭賜 字彥嘉，建甯

進士，三年任。

盧維屏 進士，四年任。

王元維 進士，四年任。

越其傑 崇禎二年任。

胡福宏 直隸

長治人，進士。

張蕙 平原人，進士。

張問仁 霸人，進士。

宋守約 長治人，進士。

張廷弼 蒲州

州，詳傳。

李蓁 河南祥符人，進士，官至左布政。

汪淶 天津人。

張子順 山東德人，進士。

李尚智 山西屯留人，官至

進士，嘉靖元年任，遷四川按察使。

任洛 河南鈞州人，進士，七年任，遷都察院副都御史，戶部侍郎。

陳文珮 福建長樂人，進士，八年任。

彭城衛人，進士，弘治年任，名宦。

錢承德 常熟人，進士，弘治年任。

何琛 成都衛人，進士，弘治年任。

朱[illegible] 陽朔人，進

史篆 山西解州人。

盧經 湖廣人。

衛重鑑 山西陽城人。

陸進階 萬曆二十五年任。

沈鳴霆 三十二年任。

人，北平參議，事成祖，甚謹，坐累，謫戍，東安屯，謚文安。（據明史列傳）

孫瑜　洪武末，北平左參政，坿郭資傳。

墨麟　洪武末，北平副使，詳傳。

人，進士，三年任。

張春　陝西同州人，舉人，四年任。

王鼇永　九年任，遷都御史。

王宏祖　進士，調永平道。

人，舉人。十六人嘉靖年任。（據畿輔唐志）

張邦彥　山東臨朐人，進士，嘉靖四十年任，遷大同巡撫。（據懷柔吳志）

馬時泰　陳留

延綏巡撫。

盧鎰　陝西咸甯人，進士。

張學顏　詳薊州道表。

王一鶚　詳總督表。

凌雲翼　江南太倉人，官至

按：畿輔唐志，佩作沛。

於教　陝西岷人，進士，嘉靖十一年任，遷都察院僉都御史。（據畿輔唐志）按：霸州周志教作敖。

陳效古　十四年任。（據霸

士，正德年任。

王玹　山西陽城人，進士，正德年任。（據薊州張志）按：畿輔唐志玹作玹。

羅恂　江西吉水人，正德年任。（據畿輔唐志）按：薊州張志譌

馮繼京　四十年任。（已上據密雲薛志）

景清，建文初，北平參議，詳傳。許思溫，字叔雍，南直吳人，建文時北平副使。（據明史列傳）湯宗，字正傳，浙江山陰人，洪武末，北平僉
江禹緒，河南人，進士，十一年任。黎慶永，湖廣人，進士，據西門城橋記，移列羅前。羅國華，進士，十三年任。王永
人，舉人。任彬　岳汴　于達真　張世烈　原一魁　白棟，詳傳。陳一簡
南京兵部尚書。王維甯，陝西興平人，進士，官至苑馬寺卿。隨府，山東魚臺人，進士。王之弼，詳文安縣表。以上
州周志）潘鑑，南直婺源人，進士，十六年任。王鳳靈，福建莆田人，十八年任。楊大章，浙江餘姚人，進士，二十一年任，
狗。熊相，江西高安人，進士。葉珩，福建莆田人，進士。劉淑相，湖廣麻城人，進士。陳大綱，甘肅

事。（據明史列傳）吕震，字克聲，臨潼人，十九年鄉舉，北平僉事，燕兵起，降成祖。（據明史列傳）

吉，詳傳。張毓泰，山東人，進士。馮師孔，字景魯，原武人，進士，十五年任，有守城功。（據明史列傳）范中

許應逵，進士，萬曆二十六年任。曹代蕭　王邦俊　曹愈參，四川涪州人，進士，三十九年任。盧維

十二人，隆慶年任。錢藻，江南如皋人，進士，萬曆二年任，仕至太僕寺卿。徐節，山西臨汾人，進士。翟繡裳，山西聞喜人，進

歷遷刑部侍郎。（據畿輔唐志）陸坤，詳傳。温景葵，字汝陽，山西太原人，二十八年任，移永平道，遷薊遼都御史。（據畿輔唐志、霸州周志）

慶陽人，進士。裴騫，山西澤州人，進士。谷高，陝西咸陽人，進士。陳嘉言，安徽六安人，進士。高金，山西石州人，

彦進士，十六年任。

王秉鑑陝西人，進士。（已上據畿輔唐志、通州高志）

屏陝西人，進士。

陳其柱詳傳。

賈克忠山東人，進士。

寇慎陝西人，進士。

戈尚友江南

士，官至順天巡撫。

張崇謙山西蒲州人，舉人。

郭四維山東人，進士。官至宣府巡撫。

高時山東人，進

宋儀望詳傳。

龐浩

馬應龍遷四川按察使，士民留之，卒官。二人皆嘉靖中任。（據畿輔唐志）

吳兌詳傳。

進士。

段續山西陽曲人，進士。

喻智安徽當塗人，進士。

沈師賢浙江平湖人，進士。（據畿輔唐志、薊州志、張志）按：密雲丁

人，進士。

都任，陝西人，進士。

黎玉田，陝西人，進士。

張橋，山西人，進士。

樊師孔，四川舉人。

士，萬曆十七年任。

王見賓，字思欽，山東濟南人，進士，萬曆十八年任，二十一年立題名碑，二十六年建白檀書院。

項德楨，浙江

宋守約，山西長治人，進士，隆慶六年任，遷延綏都御史。（據霸州周志）

周復俊，修州志，置學田，人多稱之。

陳策，莆田人。（據

志師作思。

徐汝圭，浙江淳安人，進士。

王誥，河南西平人，進士。

王輪，山東濮州人，進士。

孫國

喻安性金應鳳浙江人，進士。項良梓閔宗德張福山東臻人，進士。郭迎

秀水人，進士，萬曆二十六年任。邊有猷河南封邱人，萬曆二十九年任。張璞四川閬中人，進士，官至大同巡撫。李養質山西

明史謝瑜傳）錢藻詳傳。顧褒浙江餘姚人，進士，萬曆六年任，遷福建參政。（據霸州周志）田如秀北直完人，進士，十三年任。

北直開州人，進士。劉壽北直滄州人，進士，遷總督薊遼。趙文耀山東萊陽人，進士。陸坤陝西蘭州人，進士。

褒山西人，舉人。二十七人，萬曆年任。（據畿輔唐志）樂濟衆崇禎年，副使，六年里居賊傷不屈死，贈太僕少卿，諡節愍。（據明史坿張光奎傳、綱目

蒲州人，進士，萬曆四十一年任。喻安性浙江嵊人，進士，官至順天巡撫。馮汝京江南宣城人，進士。葉震

（據畿輔唐志）按：霸州周志作時。王藻正定人，進士，二十年任，遷河南布政使。（據霸州周志）許守思二十一年任，丁艱。（據楊邨驛

趙忻陝西盩厔人，進士，遷應天巡撫。伊介夫北直阜城人，進士。商誥山東平原人，進士。紀公巡

三編注）

潘永圖 南直 金壇人，崇禎十四年冬兵備僉事，未浹歲，至順天巡撫，畿輔被兵，十六年斬。（據明史顧繼和傳）

生 山西 聞喜人，進士，天啟三年任。

孫穀 湖廣華容人，天啟四年任。

張維世 河南 太康人，進士，六年任。

許如蘭 江南

署記）

顧雲程 字襟宇，南直常熟人，進士，二十二年任。（據霸州周志）

汪可受 三十年移漕河道。（據神宗實録）

梁有

山東恩人，進士。

羅瑤 湖廣巴陵人，進士。二十三人，嘉靖年任。

楊錦 山東益都人，進士，隆慶年任，遷甘肅巡撫。（已上據畿輔、唐志薊州

合肥人，進士，官至巡撫。

孫止孝　山東濟南人，進士，崇禎三年任。

王宏祖　陝西同州人，進士，四年任。

馮師孔　詳通

年　廣東順德人，進士，三十七年任，置學田，多德政。（據霸州周志）按：畿輔志云江南人。

孟成己　山東肥城人，進士。

真憲

張志）

張學顏　字子愚，肥鄉人，嘉靖癸丑進士，永平兵備副使，再調薊州密雲，隆慶五年撫遼，萬曆十一年兵部尚書。（據明史列傳、密雲丁志）

州道表。高斗光，山東嘉祥人，進士，官至延綏巡撫。劉鎬，湖廣人，進士，八年任。黃裳吉，湖廣長沙人，舉人，十一年任。

時，江南人，進士，四十六年任。邵可立，陝西人，進士，天啟三年任。（已上據周霸州志）楊嗣昌，字文孫，湖廣武陵人，庚戌進

吳兊，詳傳。徐學古，洛陽人，進士，嘉靖年任。（據薊州沈志）王子弼，萬曆年任，詳傳。辛應乾，山東安邱人，進

馬成名（江南）溧陽人，十一年任，官至山東巡撫。王則堯（山西）翼城人，進士，官至巡撫。石啟明（山東）甯海人，貢生，十七年任。

士，崇禎三年調自河南副使，加左右參政，官至太子太傅。（據明史列傳、霸州周志）華宰浙江人，九年任。（據畿輔唐志）按：霸州周志華作葉。王之

士，遷山西右布政。錢進學（山東）掖人，舉人。費堯年（江西）鉛山人，進士。顧養謙（詳薊遼總督表。）朱衣

（據密雲丁志）

楨 山西人，進士，十年任，端介，莫敢干以私，遷薊遼監軍道。

趙煇 詳傳。

張文達 福建人，舉人，十六年任。（三人據霸州周志）

陝西岷州衛人，進士。

于達貞 山東歷城人，進士。

成遜 北直長垣人，進士。

楊植 山西陽城人，進士。

項德

李喬崑　坿趙輝傳。

楨　詳密雲道表。

趙燾祖　河南汝陽人，進士。按：薊州張志燾譌壽。

彭國光　江西德化人，進士。

杜潛　山東高唐人，進士。

李之芳 河南西平人，進士。

吳中明 詳傳。

樊東謨 陝西蒲城人，進士。

袁和 河南安陽人，

進士。高邦佐字以道，襄陵人，萬曆三十三年任。（據明史列傳）邵可立商邱人，進士，天啟二年任。已上十九人，萬曆年任。

閔中德浙江烏程人，進士。

劉復初陝西高陵人，進士。

胡士容詳傳。

王繼謨字繼

儒，陝西府谷人，進士，性骨鯁，有功于薊，時魏黨橫行，能潔而安，祀名宦。（據薊州張志）

孫織錦 河南杞人，進士。已上五人，天啟年任。

徐從

治浙江海鹽人，進士。

賈克中陝西人，進士。

左應選山西人，進士。

王建侯陝西人，進士。

崔源

之河南人，進士。王凝雲南人。鞠思讓山東人，貢生。魏公幹湖廣人，進士。楊裕楫廣東人

人。已上九人，崇禎年任。（已上據畿輔唐志）張名世坿趙煇傳。

前代武職表八

武官亦志治境者，薊鎮協守，僅録其一，昌平參將，不概以三類，此非奪也，明較前少詳，故自爲表，營制所詳，此從畧焉。作前代武職表。

周官軍將皆命卿，春秋軍無定將，其特設將軍，自齊景公召司馬穰苴將兵扞燕始。秦置郡尉，掌佐守，典武職甲卒。漢諸侯王國，中尉掌武職，如郡都尉。郡尉秩比二千石，有丞，秩六百石，景帝中二年，更名都尉，據漢書百官公卿表。材官騎士，亦沿秦制。據漢刑法志，灌嬰傳，錢文子補漢兵志。魏置都督，宋百官志。加將軍號。文獻通考。晉有都督，有監，有督。據晉百官志。唐總管改都督，詳統部。幽州偏裨諸將有足述者，遼南面軍官有都總管，據遼百官志。有南京馬步軍都指揮使。據遼史。宋以武臣爲副總管、副鈐轄。據何維騏宋史新編。有都監，宋職官志。有馬步軍都部署。據武經總要。屯駐軍有指揮。讀禮疑圖。又統軍使一，副統軍一，判官一，知事一，知法二。又武衛軍都指揮使有副，有判官。據金百官志。元都元帥府都元帥二，副元帥二，經歷、知事各一。元帥府達嚕噶齊一，元帥一，經歷、知事各一。元百官志。先是，軍民異屬，後軍官兼民職，至元十五年，令異屬如初。元兵志。

周	樂毅 燕昭王時，由亞卿爲上將軍，惠王使騎劫代之將。（據燕策、說苑、史記列傳、燕世家、通鑑四）
漢	郭伋 漁陽都尉，詳傳。 嚴宣 漁陽都尉。（據後漢彭寵傳） 蓋延 署漁陽營
晉	呂護 隆和元年秋七月，燕將呂護中流矢卒。（據通鑑一百一）
唐	孫崇義 幽州大將。（據唐書） 趙堪 幽州裨將，詳張守珪傳。 白真陀
五代	張萬進 雲州人，幽州劉守光任之爲裨將。（據舊五代史列傳） 薛突厥
遼 宋	曹繼筠 契丹幽州牙將。（據舊五代史周太祖紀） 耶律學古，字伊實乾亨
金	王伯龍 瀋州雙城人，天眷元年，燕京馬軍都指揮使。（據金史列傳） 徐文 字彥武，
元	舒穆嚕 拜達勒 太祖時，龍虎衛上將軍，霸州等路元帥，詳僑寓傳。

騎劫　燕將，詳樂毅注。

劇辛　燕喜王將。（據燕策、史記燕世家、六國年表）按：畿輔唐志云，辛燕相。今考燕策、史記，不云爲相。

尉，行護軍，詳傳。

羅　幽州裨將，詳張守珪傳。

吴克勤　幽州裨將，戰死。（據唐書郭英傑傳）

烏知義　幽州裨將。（據郭英傑傳）

羅守忠　幽州裨將。（據郭英傑傳）

安禄山　幽州偏將，詳統部表。

光化二年，幽州劉仁恭寇魏州，葛從周大敗燕人，擒都將薛突厥、王郃郎。（據舊五代史葛從周傳）

王郃郎　詳上。

王行方　燕將，天祐九年，周德威迫幽州，守光拒戰，行方等以部下四百人來奔。（據舊五代史唐莊宗紀）

元年援燕，以功爲南京馬步軍都指揮使。（據遼史列傳）

蕭扎拉　字虛輦，統和末，南京馬步軍都指揮使，求退，不聽。（據遼史卓行傳）已上遼。

曹彬　字國華，靈壽人，幽州部署。（據宋史列傳孫行友傳）

田欽祚　汝陰人，太平興國四

，萊州掖縣人，海陵即位，遷中都兵馬都指揮使。（據遼史列傳）

烏淩阿暉　原作烏林答暉，本名摩囉歡，世宗即位，除中都兵馬都指揮使。（據金史列傳）

梁敞先　顯武將軍，涿州倉都監，兼軍資庫。（據涿州吴志引碑記）

王檝　涿鹿隘副

趙柔　涿州等路兵馬都元帥，詳傳。

綽諾　太祖時，檀州軍民元帥，方西征綽諾驛，送竹箭、弓弩弦各一萬，擢檀順昌平萬户，仍管打捕人鷹房人匠，卒謚忠毅。（據元史蕭珪珠傳）

李桐孫　守武清縣，行元帥。（據武清東嶽行宫碑陰）

李懷仙　禄山之反，以爲裨將，餘詳統部表。

劉怦　范陽裨將，詳雜人傳。

符令奇　沂州臨沂人，初爲盧龍軍裨將，幽州亂，挈子璘奔昭義，節度使薛嵩署爲軍副。（據唐書忠義傳）

符璘　字元亮，其先琅琊人，烈考令奇

單廷珪　燕大將，天祐九年爲周德威擒。（據舊五代史唐莊宗紀）

趙行實　燕將，天祐九年奔唐。（據舊五代史唐莊宗紀）

李暉

司全爽

楊師貴　三人皆燕將，天祐十年降唐。（據舊五代史唐莊宗紀）

年，幽州西路西行營壕砦都監。（據宋史列傳）

曹翰　大名人，太平興國五年，幽州行營都部署。（據宋史列傳）

劉遇　青池人，太平興國五年，保定軍節度幽州行營都部署。（據宋史列傳）

趙延溥　真定人，太平興國五年，幽州東路行營都監，

統軍。（據涿州吳志）

俱爲薊裨將，會亂，同奔于潞，潞帥薛嵩署爲軍副。（據符璘碑）按：符、苻古通，今從唐書忠義傳。

朱克融
以偏校事劉總。（據唐書列傳）

史元忠
幽州知節度事楊志誠部將，詳統部表。

陳行泰
幽州知節度事史元忠偏

王遵化
燕臣。（據舊五代史唐莊宗紀）

李劉

張景紹
二人，幽州大將，周德威獲之。（據舊五代史唐莊宗紀）

劉化修

周遵榮
二人，幽州牙將。（據舊五代史唐莊宗紀）

李小喜

雍熙年，幽州西北道行營衛監。（據宋史趙泉傳）

常思德
開封人，雍熙初，幽州牙將。（據宋史列傳）

傅潛
衡水人，雍熙二年，幽州道行營前軍司步軍都指揮使。（據宋史列傳）

崔彦進
大名人，雍熙三年，幽州道馬步軍水陸副都部

將，殺元忠，邀節制，李德裕計請帥報若少須下且有變，帝許之，未報，會昌元年，牙將張絳殺行泰。（據唐書李載義傳、張仲武傳）

張絳　幽州牙將，殺陳行泰，誘其軍以請節制，未報。（據唐書李載義傳、張仲武傳）

李全忠　幽州票將。（據唐書埘李茂勳傳）詳統部表。

幽州劉守光親將。（據舊五代史唐莊紀）

武行諫　幽州偏將。（據舊五代史周后妃傳）

署。（據宋史列傳）

米信　舊名海進，本奚族，雍熙三年，幽州西北道行營馬步軍都部署。（據宋史列傳）

譚延美　朝城人，雍熙三年，幽州西面行營都監。（據宋史列傳）

范廷召　棗强人，雍熙三年，幽州道前軍先鋒都指揮使。（據宋史列傳）

			按：唐書傳云，事李可舉爲牙將。 **劉光燧** 都□檢涿州軍事。（據涿州吴志碑記）		郭守文 太原人，雍熙五年，幽州道行營前軍步軍水陸都監。（據宋史列傳）		

明永樂元年，設北京留守行後軍都督府，置左、右都督，同知、僉事無定員，經歷、都司各一，後分五府，稱行在五軍都督府。十八年，除行在字。洪熙元年，復稱行在，仍設行後府。宣德三年，又革。正統六年，復除行在字。明職官志。按：五軍者，中、左、右、前、後也。總兵官、副總兵、參將、遊擊將軍、守備、把總，無品級，無定員。總鎮一方，爲鎮守；獨鎮一路，爲分守；各守一城，爲守備；與主將同守一城，爲協守；總兵在薊鎮者，不得稱將軍挂印。據同上。按：明初參將、遊擊、把總亦多充以勳戚，故並入表。薊之提督爲總督，椎輪文臣爲之也。入總督表。總兵間稱提督，如明職官志云。鎮守昌平，舊有提督武臣，嘉靖三十八年，改爲鎮守總兵，聽總督節制是也。李如松爲提督陝西軍務總兵官，是萬曆十二年事，而明史傳謂武臣有提督自如松始，何歟？按：昌平舊有提督武臣，則爲專設明矣。明職官志：貴州總兵，嘉靖三十二年，加提督職

銜。又三十七年，添設提督狼鎮副總兵，皆在李如松前。都指揮使司都指揮使一，正二品。同知二，從二品。其屬經歷，正六品。都事，正七品。斷事司，正六品。副斷事，正七品。吏目、司獄，從九品。倉庫、草場大使、副使各一。都指揮使及同知、僉事以一人統司事，曰掌印，一人練兵，一人屯田，曰僉事，否則曰帶俸。表箋序銜布、按二司上。初置都衛指揮使司，洪武八年，改都指揮使司，凡都司十有三，改燕山都衛爲北平都司，其首也。後爲北平行都司。永樂元年，改大甯都司。又京衛指揮使司指揮使一，正三品。同知二，從三品。僉事四，正四品。鎮撫二，從五品。經歷，從七品。知事，正八品。吏目，從九品。倉大使、副使各一。千户所正千户一，正五品。副千户二，從五品。鎮撫二，從六品。吏目一。百户所百户十，正六品。總旗二十，小旗百，其守禦千户所、軍民千户所，設官同。據同上。

都督	提督總兵等官	都指揮使　衛指揮使	千户　百户
孫興祖　濠州人，洪武元年從克元都，置燕山六衛，命守之，領大都督分府事，三年，出塞戰死，封燕山侯，謚忠愍。（據明史列傳）	楊璟　合肥人，充副將軍，從徐達鎮北平，謚武信。（據明史列傳） 湯和　字鼎臣，濠州人，洪武五年，以征西	陳亨　洪武年，北平都指揮使，詳衛。 張信　臨淮人，惠帝即位，調北平都司，受密詔，令與張昺、謝貴謀燕王，信密以情輸成祖，	孫巖　太祖時，燕山中護衛千户，坿房勝傳。 郭義　濟甯人，洪武中，累功爲燕山千户。

顧成　字景韶，其先湘潭人，家江都，建文元年，爲左軍都督，從耿炳文御燕師被執，燕王解其縛，送北平，輔世子居守。（據明史列傳）

郭義　從成祖入京師，遷左都督，永樂九年，坐曠職謫，立功宥之。（據明史坿薛禄傳）餘詳千户表。

楊照　都督，鎮守密雲，詳傳。

楊肇基　沂州衛人，左都督，崇禎元年，移薊鎮西協。（據明史馬世龍傳）

房寬　陳州人，洪武中從徐達練兵，北平都指揮同知。（據明史坿陳亨傳）

陳亨　永樂年都督同知，詳衛。

董興　都督同知，詳衛。

將軍鎮北平。（據明史列傳）

黄彬　江夏人，洪武六年，從徐達鎮北平。（據明史列傳）

顧時　字時舉，濠州人，洪武六年，副將軍鎮北平。（據明史列傳）

何文鎮　大都督府同知，鎮北平。（據明史）

郭子興　濠州人，洪武年，從徐達鎮北平。（據明史列傳）

傅友德　宿州人，徙碭山，洪武六年，鎮北平，陳便宜五事，從之，二十三年，從征沙漠，明年，爲征虜將軍，備邊北平。（據明史列傳）

朱亮祖　洪武八年，同傅友德鎮北平。（據明史列傳）

論功進都督僉事。（據明史列傳）

謝貴　洪武三十一年，掌北平都指揮使司。（據明史列傳）

趙彝　由燕山衛百户，遷都指揮。

劉榮　都指揮使，詳百户。

唐雲　都指揮，詳衛。

平安　永樂年，北平都指揮，詳衛。

董興　正統中，都指揮，詳衛。

劉輔　景泰年，都指揮。（據鄒來學祠記）

毛勝　薊州人，都指揮，以平倭功，封南甯伯。（據薊州沈志）

胡震　弘治中，都指揮，分守通州。（據明史劉玉傳）

（據明史坿薛禄傳）

孟善　海豐人，燕山中護衛千户，累遷右軍都督同知，永樂元年致仕。（據明史列傳）

李旺　和州人，洪武中，燕山左護衛副千户。（據明史李濬傳）

張雄　燕山前衛副千户。

張成　燕山前衛副千户，洪武三十二年歷燕山衛指揮僉事，克薊州，遷指揮使同知，陣亡。

鄭用　大興左衛千户，詳指揮鄭亨注。

賈迪　興州衛千户。下二十人同。

田世勳

蕭文升

孫光祖

戚繼光　隆慶二年，都督同知，總理三鎮兵事，詳傳。
華雲龍　洪武元年，大都督府僉事，詳統部表。
平安　洪武年，右軍都督僉事，詳衛。
曹義　永樂年，都督僉事。詳衛。
劉榮　永樂年，都督僉事。詳百户。
陳賢　永樂年，都督僉事。詳衛。
高士文　永樂年，都督僉事，詳百户。
張信　成祖進都督僉事，詳百户都指揮。
梁銘　洪熙年，後軍都督僉事，詳百户。
馬永　正德年，都督僉事。
周益昌　都督僉事。

郭英　河南都指揮使，移鎮北平。（據明史列傳）
時陳　陝西綏德人，嘉靖二十九年後昌平提督。下四人官同。
趙卿　山東濟甯人。
蕭漢　陝西榆林人。
焦澤　大同右衛人。
張口　陝西榆林人。（已上四人據昌平舊志）
王保　萬曆十九年，昌平總兵，詳下。
達奇勛　涼州衛人，萬曆末，昌平總兵。（據明史達雲傳）
陳洪範　崇禎四年，昌平總兵。（據明史朱大典傳）

蘇時雨　都指揮，坿上官蓋傳。按：時雨殉難順義，當是分守順義者。
陳志　永樂年，都指揮同知，詳衛。
張興　永樂年，都指揮同知，詳衛。
馬永　正德年，都指揮同知，詳衛。
石端　都指揮同知，守涿州。（據涿州吴志）按：涿志誤列州同，今正。
張斌　洪武間，都指揮僉事。（據密雲薛志）
鄭亨　永樂年，北平都指揮僉事，詳衛。
徐理　永樂年，都指揮僉事，詳衛。
孫巖　永樂年，都指揮僉事，坿房勝傳。
王友　永樂年，都指揮僉事，詳百户。
衛清　永樂年，都指揮僉事，詳百户。

劉天爵
許禄
郭守義
李叢
何宗堯
曹受
張登科
張國柱
周宗儒
張寅
苑守忠
王剛
劉大節

柳升左軍都督僉事，詳百户。
董興署都督僉事，詳衛。
王保署都督僉事。
陳璘字朝貴，廣東翁源人，萬曆二十年，署都督僉事，充副總兵，協守薊鎮。（據明史列傳）
連真都督僉事，詳衛。
孫祖壽天啓二年，歷官署都督僉事，爲薊鎮總兵官，詳先賢傳。
楊肇基沂州衛人，左都督，崇禎元年，移鎮薊西協。（據明史坿馬世龍傳）
胡文顯崇禎年，都督僉事，詳百户。

姜瑄昌平總兵。（據明史衛景瑗傳）
王榮南直顯上人，天順中，密雲總兵，撫馭將士，屢著奇功。（據密雲薛志）按：趙昂龍興寺碑，成化十年，榮尚鎮密雲。
陳文治萬曆十一年，密雲總兵。（據野獲編十九）
唐通崇禎十六年，密雲總兵。（據明史曹變蛟傳）
蔣驥弘治中，總兵官，鎮薊州。（據明史蔣貴傳）
馬永正德十三年，充總兵官，鎮守薊州。
李鳳鳴薊州總兵，仇鸞奏革之，薦京營副將成勳代鳳鳴。（據明史王邦瑞傳）

費愚定遠人，洪武年，燕府左相，改授燕山中護衛指揮使。（據明史費瓛傳）
滕瓚從燕起兵，進燕山右衛指揮使。（據明史坿吴成遼傳）
唐雲燕山中護衛指揮，累遷都指揮使，先後出師，留輔世子，成祖稱帝，封新昌伯。（據明史坿張信傳）
陳亨壽州人，洪武二年積功至燕山左衛指揮僉事，遷北平都指揮使，燕師起，亨降，累破南軍，與平安戰，創甚，輿還北平，進都督同知。（據明史列傳）
薛斌蒙古人，本名脱歡，賜姓薛，官燕山右護衛指揮僉事，詳流寓傳。

張相
曹霆（已上十九人據良鄉陳志）
蕭如龍
何秉忠二人坿蕭還醇傳。
孫英營州前屯衛正千户。下十一人同。
孫潤
王順
王萬夏字玉廷。
張震
張守約
李英
李瀚
羅棟

祝雄 嘉靖年，鎮薊州。（據明史列傳）

戚繼光，隆慶二年，總兵，鎮守薊州等處，詳傳。

楊四畏 薊鎮總兵，附張臣傳。

張臣 薊鎮總兵，詳傳。

王保 榆林衛人，萬曆十九年，鎮薊州。（據明史列傳）

尤繼先 榆林衛人，萬曆二十四年，鎮薊州。（據明史坿達雲傳）

杜松 字來清，崑山人，三十四年，鎮薊州。（據明史坿杜桐傳）

蕭如薰 字季馨，延安衛人，萬曆年鎮薊州。（據明史列傳）

張成 廬州人，燕山衛指揮僉事，遷指揮同知，詳千户。

李任 燕山衛指揮僉事，從成祖起兵，累功爲指揮同知。（據明史）

陳志 巴人，洪武中，燕山中護衛指揮僉事，從起兵，遷都指揮同知，封遂安伯。（據明史列傳）

陳賢 壽州人，從太祖立功，歷燕山右護指揮僉事。燕師起，遷都督僉事，永樂元年封榮昌伯。（據明史列傳）

張興 壽州人，燕山左護衛指揮僉事，從起兵，遷都指揮同知。（據明史列傳）

曹義 字敬方，儀真人，燕山左衛指揮僉事，

胡俊

田見龍 字文宇。

孫年 字少泉。

周能 洪武三十三年，營州前屯衛副千户，詳指揮表。下十一人，並副千户。

趙清河驢 三十三年，副千户，趙斌父。

陳剛

蕭玉

趙見

郭玉

田英

田光裕

吳國俊
陳國威　二人崇禎年，薊鎮總兵。（據明史楊嗣昌傳）
趙率教　陝西人，崇禎中，薊遼總兵。（據明史列傳何可綱傳）
楊御蕃　天啟年，通州副總兵。（據明史坿徐從治傳）
姜名武　字我揚，保德人，崇禎年，通州副總兵。（據明史列傳）
趙卿　山東濟甯人，嘉靖二十九年，後昌平副總兵。下六人同。
張琮　大同右衛人。
王臣　宣府右衛人。累功至都督僉事。（據明史坿王凱傳）
董興　長垣人，燕山右衛指揮使，正統中署都指揮，擢署都督僉事，充右參將，進都督同知。（據明史列傳）
蕭應祥　大興左衛指揮，遷昌平游擊。
李濁　興州衛指揮。下八人同。
李世勳
何贇
馬騰
唐策
劉運機
劉養正
張應元
陳寶
陳守光
江英　降百户。
江光祖（已上三十八人據香河劉志）
周鏜　字廷振，通州右衛千户，著武功，性剛，人稱周御史。（據通州高志武功傳）
吕琦　字廷璧，定邊衛右所千户。（據通州高志）
于本　江南金壇人，永樂二年，以指揮僉事世襲，管梁城守禦所千户，詳傳。下十人，職同。
于昶
于倫

祝福 前屯衛人。
楊國威 京衛人，遷廣西挂印總兵。
高尚智（已上六人據昌平吴志）
張應昌 崇禎二年，昌平副總兵，坿張臣傳。
湯九州 石埭人，昌平副總兵，崇禎九年擊賊嵩縣，死之，謚忠烈。（據明史列傳）
胡潭 定州人，鞏華副總兵。
劉通 薊州人，鞏華營副總兵。
楊照 密雲副總兵，詳傳。
徐仁嘉 嘉靖年，密雲副將。（據明史吴邦瑞傳）
郭琥 陝西人，嘉靖四十三年，古北口副

陳得功
仕惟金 興州衛鎮撫。
戴文光（已上十一人據良鄉陳志）
徐理 西平人，洪武時爲永清中衛指揮僉事，成祖進都指揮僉事，封武康伯，還守北平，馭下寬，得士卒心。（據明史坿陳亨傳）
周能 湖廣景陵人，宣德二年，營州前屯衛指揮。下十九人，並指揮。
周斌 能子。
周瑾 斌弟。
周正 瑾子。
周禮 正子。

于璽
于金
于宗淵
于繼武
于一桂
于大猷 遷薊州都司。
于君陳
于君鼎 詳傳。
王宏 宣德三年，由武功城左衛千户調梁城千户，世襲。下二人同。
王玉
王瓚（已上十四人據甯河關志）
楊鎬 梁城千户。下十九人同。

將。（據張守中楊令公廟碑）

周益昌古北口副總兵，詳傳。

呂應蛟字西口，保定衛人，密雲副總兵，謝事歸，城破，戰死。（據明史坿何復傳、畿輔唐志）

馬芳字德馨，蔚州人，嘉靖三十六年，薊鎮副總兵。（據明史列傳）

張臣隆慶元年，副總兵，守薊鎮西協，詳傳。按：西協駐密雲石匣路。

麻承訓萬曆年，薊鎮副總兵，天啓初戰死。（據明史麻貴傳）

李如柏薊鎮副總兵，詳密雲游擊。

陳璘，副總兵，協守薊鎮，詳督僉。

周龍禮子。

周良右

趙忠

趙斌景泰元年任，詳傳

趙銘

趙端

周良相嘉靖元年任，歷涿州守備。

周良臣九年任，遷薊州守備，歷燕河營參將。

趙鶴齡嘉靖年任。

趙起鳳三十一年任。

周如旦隆慶元年掌印。

周撫民萬曆十六年任，三十四年再任。

劉璽

谷泰

任和

馬廷臣

孟璋

陳銘

朱瑄

劉鼎

蒙恩

孫永承

馬欒

苗寶

趙堂

崔凝秀天啓年，薊鎮副總兵。（據明史魏忠賢傳）

魯宗文，長清人，崇禎年薊鎮副總兵。（據明史魯欽傳）

楊肇基崇禎元年，薊鎮西協，詳都督。

胡文顯薊遼右翼總兵，詳百户。

周益昌牆子嶺參將，詳傳。

李如柏黄花嶺參將，詳游擊。

魏祥密雲參將，詳傳。

蕭惟中天啓六年，密雲參將。（據明史崔呈秀傳）

楊照古北口參將，詳傳。

徐執中古北口參將，詳衛。

趙國祥二十年署。

周家謨撫民子，遷自指揮同知。

趙迎恩國詳子。

張敬廬州人，洪武三十三年，由燕山衛指揮同知調營州前屯衛指揮同知。下十人並指揮同知。

張諒

張鑑

張寬

張璽

張侖

張惟本嘉靖五年任。

張光先隆慶元年任。

張拱宸光先子。

任世英

田永

張和

王佐（已上十八人據嘉靖朝陽寺碑）

鄧士賢詳百户張諒先注。

鄭昂梁城千户，詳傳。

劉志高密雲後衛千户，與張繼祖同戰死。（據密云薛志）

吴秉直，密雲中衛副千户，隆慶二年戰死。（據密云薛志）

殷寬

谷壽

牟滋已上三人，密雲千户。

張茂勳　沂州人，涿州參將。十九人官同。

包良栻　錦衣衛人，進士。

王純臣　固安人，進士。

王養民　保定人。

王秉忠　綏德衛人。

孫譚　陝西人。

鄧祖禹　湖廣人。

馬如錦　京衛人。

馮顯祚　大同人。

劉芳顯　宛平人。（已上十人據涿州吳志）

朱光　嘉興人，隆慶年，薊鎮南兵營參將，遷副總兵。（據明史戚繼光傳）

方振　嘉靖三十七年後，昌平游兵游擊。

周家謨　字允升，遷指揮。

張鎮　字靖遠。

劉源　營州前屯衛指揮僉事。下九人同。

劉承印

計璋　嘉靖二十年任。

盧守正　二十二年任。

盧養智　二十五年任。

李聰

李應武。萬曆二十五年任

盧安

盧元功

盧邦俊　（已上四十人據香河劉志）

黃壐　詳傳。通州衛指揮。下二人同。

劉榮　灤州人，營州右屯衛副千户，署指揮僉事。

胡玉　營州右屯衛千户，性廉潔，勤訓練，公餘卽讀書，以識古今事變。（已上二人據薊州張志）

徐致中　江南山陽人，營州中屯衛五所千户，歷古北口參將。下十人官同。

王世臣　江南滁州人。

張承忠　薊州人。

王爵　灤州人。

閻繼祖　山西平遥人。

何秀　江南繁昌人。

賈繼顯　江南遷安人。

宋恩　江南華亭人。

下八人同。

崔桂

李官

朱衮

王國

胡進

郭鈞

張禮

張斌

王世英，嘉靖二十四年後標兵游擊。下三人同。

張爵

胡進

雷通　坿黄璽傳。

李時　詳傳。

吴浗　字惟功，有聲，歷中都副留守。

王玉　神武中衛指揮，詳傳。

樊靖　字至安，神武中衛指揮有聲，諳史事，有儒將目，調青州守備。

陳策　定邊衛指揮，勤訓練，絶苞苴。

房勝　通州衛指揮僉事，詳傳。下一人同。

孫巖　坿房勝傳。（已上二人據通州高志）

張國褒　武清衛指揮使，萬曆四十四年任。

丁夢鼇，武清衛指揮僉事萬曆四十一年任。按：已上二人見香河劉志，而武清蔡志奪。

鄭遇福　福建長樂人。

顔繼爵　昌黎人。

景宗伊　江南全椒人。（已上十一人據平谷朱志）

王友　荆州人，襲父職爲燕山護衛百户，從起兵，定京師功，當侯，以驕授都指揮僉事，封清遠伯。（據明史列傳）

譚廣　字仲宏，丹徒人，洪武初，起卒伍，從征金山，爲燕山護衛百户。（據明史列傳）

高士文，咸陽人，洪武中燕山左護衛百户，質直剛果，善騎射，成祖起兵，累官都督僉事。（據明史坿張輔傳）

趙彝　虹人，洪武時，燕山右衛百户，降燕，有功，遷都指揮使。（據明史坿郭亮傳）

馬負圖

孫堂 嘉靖四十三年後左營中營遊擊。下四人同。

蕭應祥 由大左衛指揮任。

趙夢麟

畢英

孫承志

張洙 鞏華營游擊，改自分守。下二人同。

董孟朋

高仲安 （已上二十一人據昌平舊志）

管朝爵 昌平游擊指揮，坿史國典傳。

治國器 崇禎九年，順義游擊，坿上官藎傳。

平安 滁人，小字保兒，從太祖，遷密雲指揮使，進右軍都督僉事。建文四年，安被禽，燕王惜其材勇，送北平，命世子及郭資等善視之。即位，以爲北平都指揮使。（據明史列傳）

鄭亨 合肥人，父用，洪武時，積功爲大興左衛副千户，請老，亨嗣職，二十五年，遷密雲衛指揮僉事，燕師起，以所部降，進北平都指揮僉事，明年留守北京。（據明史列傳）

張繼祖 密雲後衛指揮同知，嘉靖二十九年戰死。

朱正方 易州人，涿鹿衛指揮僉事。

雷起龍 山東掖人，涿鹿衛指揮同知。

王臣 （已上三人據涿州吳志）

梁銘 以燕山前衛百户，從仁宗守北平，李景隆圍城，戰甚力，積功至後軍都督僉事。（據明史列傳）

柳升 燕山護衛百户，大小二十餘戰，累遷左軍都督僉事。（據明史列傳）

金玉 江浦人，羽衛百户，調燕山護衛。（據明史坿薛禄傳）

趙守卿 興州中屯衛五所百户。下三十三人同。

高守節

張汝爲

李和

杜世用

樊大用

張從謙

李如柏字子貞，密雲游擊，歷黄花鎮參將，薊鎮副總兵。（據明史坿李成梁傳）

陳周涿州游擊。（據涿州吴志）

董一元宣府前衛人，嘉靖年，薊鎮游擊。（據明史列傳）

胡震弘治中分守通州，詳都指揮。

李意薊州人，犨華營分守，改自副總兵。下五人同。

黄欽

李勇

谷欒

王尚忠

夏宗禹

廖鏞天順三年，昌平守備。下三十二人

于大猷薊州都司，詳千户。

馬麟靈壁人，以金吾衛指揮使掌薊州衛事，果敢，捍民患。薊州衛指揮，下四人同。

蕭應兆韜略有功，以介聞，然儒雅，歷延綏游擊。

黄陞性謙，有武功，遷都司。

張承基有大略，與士卒同甘苦，有古名將風。

蔡一麟練士有方。

劉勉薊州衛指揮僉事，以廉介著，擢掌錦衣衛事。

黄甯薊州衛指揮同知，詳傳。

曾濬建文時，薊州鎮撫。

龐濟薊州衛鎮撫，性介，遇事敢爲，遷薊

李官

何潞

邵應奎

孫林

劉守忠

張國用

刁守節

劉璽

陳時

王相

姜朝用

程守道

常遠

朱國臣

官同。

吴得

張英

杜山

解瑞

王瑾

王璽

句璽

王輔

王壽

張增

關廉

申錫

州衛指揮同知，節操彌著。

劉輔 灤州人，鎮朔衛指揮。下四人同。

郭甯 貌偉，有戰功，遷薊州守備。

戴廉 有經緯，晉元戎鎮三屯營。

張士顯 以敏幹聞。

李時 性狷潔，以將略著武功，歷副將、督僉。

連真 豐人，鎮朔衛鎮撫，性持重，然守禦事明且決，署都指揮僉事。

袁衮 營州右屯衛指揮，捕寇以果敢著，歷薊州守備。

劉榮 由營州右屯衛千户署指揮僉事，訓練勤能。（已上十五人據薊州張志）

張世臣

韓斌

沐保

孫寵

張一正

王鎗

周相

王尚忠

沙文迪

耿勳

宇大陽

馬良

崔名（已上三十四人據良鄉陳志）

載晉
時中立
秦震
周麟
苑山
張迪
石美中
龔廉
馬昂
岳嵒
申有爵
李承恩
王臣

田貢（涿州人，營州中屯衛指揮。）
季承印（全甯人，營州中屯衛指揮。）
戴承祖（睢甯人，營州中屯衛指揮同知。）
羅繼先（江南盱眙人，營州中屯衛指揮使。）
郭應期（江南潁上人，營州中屯衛指揮僉事。下三人官同。）
鄭養蒙（湖廣清江人。）
詹永宗（江南高郵人。）
張耀武（贛榆人。）
吴昂（山東齊東人，營州中屯衛鎮撫。）
王藎臣（小興州人，營州中屯衛鎮撫司鎮撫。）

李蔭（良鄉百户，坿黨還醇傳。）
趙清河驢（營州前屯衛百户。下三十六人同。）
周能
吴順
李清
陳宣
劉廣
蕭雄
張考
劉欽
陳鑑
叢勝

吴銓

管儒

李著

孫獻策

馬負圖

薛經

谷九皋（已上據昌平舊志）

淩元機 元機與胡良翰皆昌平鎮將，賊屯閿鄉，湯九州遣二人搜山，敗歿，謚節愍。（據綱目三編注）

胡良翰 詳上。

欒檠 山東登州人，鞏華營守備。下二人官同。

毛詩 營州中屯衛所鎮撫。

張緒 陝西涇陽人，嘉靖年，營州中屯衛經歷。下四人同。

文希傳 廣西全州人。

于泰亨 江南滁州人。

陳約 四川仁壽人，嘉靖年任。

盧甯 湖廣人，隆慶年任。（已上十六人據平谷朱志）

耿聰

趙文通

胡永

陳詳

陳應科

查垣

黃端

黃潮

賈珍

賈應奎

崔禹

崔雄

王圯

曹松 江南儀真人。

許國 山東登州人。（已上三人據昌平舊志）

咸貞吉 崇禎九年，昌平守備，坿王禹佐傳。

周良相 涿州守備，詳傳。

周良臣

郭甯

袁衮 三人並薊州守備，詳衛。

張紹忠 隆慶二年，懷柔守備。下十八人官同。

賈陳策

劉龍

周臣

陳明廷 字孟涵。

陳鳴劍 字岐山。

王太和 字陽容。（已上二十七人據香河劉志）

胡文顯 字在中，通州右衛百户，崇禎年著戰功，歷薊遼右翼總兵官，都督府僉事。（據通州高志）

張諒先 豐潤人，著戰功，建文四年鎮海衛，夏，百户掠梁城，力卻之，千户鄧士賢叛，擊走其衆。永樂二年，授梁城百户，宣德元年卒官。

張甫榮 宣德元年襲。

張彪 成化五年襲。

張遜 弘治三年襲。

李太初
史金
徐天衢
張應選
顧大魁
喻惟清
陳大忠
楊勳
徐鑰
王祖制
邵繼勳
李士俊
王朝棟

張經嘉靖十二年襲。
張倫十五年襲。
張昂嘉靖年襲。
張鳴時隆慶四年襲。
張居約。萬曆二十一年襲（已上九人據甯河關志）
董芳梁城百户。下上二人同。
張欒
董經
楊銘
馮佐
鄭昂遷千户。
林英

方慶

王□（已上據懷柔吳志）按：懷柔志，崇禎末，寇圍城，守備某登陴放礮，礮裂，樓掀半空，守備焚死，城以獲全，姓氏無考。

危永安涿州守備。（據涿州吳志）

沈百容昌平千總，詳傳。

馮愷

□奉先。二人並懷柔把總

王達

劉剛

董鉞

張雄

宋天寶

楊欽（已上十三人據朝陽寺碑）

劉榮宿遷人，初冒父名江，給事燕邸，雄偉多智略，成祖器之，授密雲衛百户，遷都指揮使，都督僉事，謚忠武。（據明史列傳）

劉璽密雲後衛百户，詳傳。

衛清華亭人，成河南，以功授薊州衛百户，歷山東都指揮僉事。

成勳薊州衛百户，雄偉能開數石弓，以忠

義著，歷任鎮守，戰屢捷。

孫杲鎮朔衞百户，以義自守，勢要莫之奪。

李仁鎮朔衞百户，以廉介著。（已上四人據薊州張志名宦）

熊守俸江西奉新人，營州中屯衞百户。下八人官同。

路大經山東陽信人。

季鳳鳴安東人。

李承業雲州人。

王乾江南人。

白志功隆慶人。

徐天爵江南無爲人。

朱□□

王禮賢（已上九人據平谷朱志）

華陽吴祖椿校